Né à Louiseville en 1921, Jacques Ferron jouit d'une affection particulière dans le ciel de la littérature québécoise. Par l'ampleur de son œuvre et de son engagement social comme médecin, éveilleur de conscience et militant, il a imprimé sa marque sur les liens que tisse la littérature avec le réel d'un peuple. Ses personnages sont devenus des archétypes de son «pays incertain», portés par les mots des traditions orales et écrites. Il a fouillé avec un instinct sûr et retors les mythologies des provinces du Québec, cartographiant les blessures et les folies de son imaginaire avec la finesse parfois cynique, souvent voltairienne, d'un brillant et fécond homme de lettres.

LA CHAISE DU MARÉCHAL FERRANT

Quand l'exquis docteur Ferron — ici conteur, chroniqueur, romancier, fabuliste — règle ses comptes avec le mythe du Diable, cela donne un merveilleux texte à tiroirs : médusé, le lecteur y voit sortir non pas un, non pas deux, mais trois créatures fantasques (Jean Goupil, Jean Goupil, Jean Goupille) qui, toutes, réussissent à rouler le Malin dans la farine de leurs pactes. Si le temps du Diable est bien fini, réduit qu'il est à jouer avec ses dés pipés dans l'arrière-cuisine de la taverne Neptune du port de Montréal, le bonhomme au pied de bouc fait ici un dernier tour de piste des plus carnavalesques : dans la litanie défilent politiciens et prostituées, cardinaux et financiers, quantité de figures familiales et littéraires, et surtout ces belles gens de la Gaspésie que l'écrivain affectionnait tant.

LA CHAISE DU MARÉCHAL FERRANT

Jacques Ferron

La chaise du maréchal ferrant

Préface de Nicolas Dickner

Édition préparée par
Pierre Cantin, Marie Ferron
et Luc Gauvreau

BIBLIOTHÈQUE QUÉBÉCOISE

BQ BIBLIOTHÈQUE QUÉBÉCOISE est une société d'édition administrée conjointement par les Éditions Fides, les Éditions Hurtubise et Leméac Éditeur. BQ remercie le ministère du Patrimoine canadien du soutien qui lui est accordé dans le cadre du Fonds du livre du Canada. BIBLIOTHÈQUE QUÉBÉCOISE remercie également le Conseil des Arts du Canada et la Société de développement des entreprises culturelles du Québec (SODEC).

BIBLIOTHÈQUE QUÉBÉCOISE bénéficie du Programme de crédit d'impôt pour l'édition de livres du Gouvernement du Québec, géré par la SODEC.

Conception graphique: Gianni Caccia
Typographie et montage: Yolande Martel

Catalogage avant publication de Bibliothèque et Archives nationales du Québec et Bibliothèque et Archives Canada

Ferron, Jacques, 1921-1985

La chaise du maréchal ferrant

Éd. originale: Montréal: Éditions du Jour, 1972.

ISBN 978-2-89406-312-5 [édition imprimée]
ISBN 978-2-89406-362-0 [édition numérique]

I. Titre.

PS8511.E76C43 2010   c843'.54   C2010-940739-3
PS9511.E76C43 2010

Dépôt légal: 2ᵉ trimestre 2010
Bibliothèque et Archives nationales du Québec

IMPRIMÉ AU CANADA EN AVRIL 2010

Préface

Le Colisée du livre était affligé, à cette époque, d'une assez mauvaise réputation. Cependant que les autres bouquinistes du faubourg Saint-Jean-Baptiste sélectionnaient et classaient leur marchandise avec mille scrupules, ses employés empilaient, pêle-mêle, le meilleur et le pire. Pour y trouver son compte, le lecteur devait parfois se faire archéologue.

Les présentoirs branlants de la section «Littérature québécoise» offraient un polaroïd sans complaisance de notre histoire éditoriale, avec ses auteurs oubliés, ses œuvres tombées en disgrâce et ses piles d'invendus. Il s'agissait de l'équivalent littéraire du champ du potier[1], en somme, et Ferron se trouvait là, assurément, afin qu'y figure, pour une fois, un «notable hautement considéré parmi les fols et les miséreux[2]».

---

1. Ce lieu, cher à Ferron, est une référence à l'Évangile selon saint Mathieu. Il désigne un terrain situé un peu en retrait du cimetière où on enterrait, entre autres, les suicidés, à qui on refusait la sépulture ecclésiastique.
2. Jacques Ferron, *Le Saint-Élias*. Préface de Pierre L'Hérault. Édition préparée par Pierre Cantin, Marie Ferron et Roger Blanchette. Montréal, Éditions Typo, 1993.

C'est dans cette bouquinerie sans gloire qu'en 1994 je me procurai son œuvre narrative essentielle pour une somme plus que modique — le Colisée avait la vertu de vendre bon marché. Il s'agissait des versions originales publiées par les Éditions du Jour, avec la fameuse couverture rétromoderniste / art déco, composée d'un grand carré monochrome sur fond blanc, où se découpait le titre en Cooper Black bas-de-casse. Un design unique en son genre dans l'histoire du livre québécois.

La simplicité presque enfantine de cette maquette ne témoignait ni de l'exubérance des textes de Ferron ni de leur difficulté. On n'entrait pas n'importe comment dans cette œuvre monumentale, j'allais vite m'en apercevoir, et il me fallut plusieurs essais et erreurs avant de dénicher ma porte d'entrée : ce texte discret, rarement célébré, qu'est *La chaise du maréchal ferrant*.

Après quinze ans et une dizaine de relectures, je peine toujours à comprendre pourquoi ce livre ne jouit pas d'une plus grande notoriété. Le propos, le ton, le rythme, la simplicité (toute relative) du phrasé en font non seulement un texte accessible, mais aussi l'un des récits de Ferron ayant le mieux vieilli.

Publié au printemps 1972, il constitue l'avant-dernier des grands textes narratifs de son auteur. Rédigé à partir d'un conte commandé par la revue *Châtelaine* — détail qui semble aujourd'hui plein d'exotisme —, le texte paraît, à première vue, un peu décousu : on y passe du conte fantastique à la chronique, puis de la chronique au roman. On soupçonne presque le vice de construction, l'incohérence formelle. Cette impression initiale est néanmoins trompeuse. En effet, *La chaise du maréchal ferrant* incarne la transformation de la mythologie québécoise au cours du vingtième siècle et Ferron utilise simplement, pour décrire chaque époque, un genre et une temporalité qui lui sont propres.

Le procédé est ingénieux et révèle un romancier en pleine possession de ses moyens, capable de plier les règles narratives à sa guise. Pourtant, Jacques Ferron s'apprêtait à clore sa production romanesque. Ce paradoxe explique peut-être pourquoi la *Chaise* constitue l'un des romans les plus typiques de l'écrivain, véritable condensé de ses obsessions cardinales : dressait-il, plus ou moins consciemment, un bilan de son œuvre romanesque et de la place qu'elle occupait au sein de notre littérature ?

Souhaitons en tout cas que cette nouvelle édition saura bénéficier d'une plus grande reconnaissance et introduire — tout comme ce fut le cas pour moi — une nouvelle génération de lecteurs à l'œuvre remarquable de Ferron.

NICOLAS DICKNER
Montréal, novembre 2009

à Madame Betty Bednarski[1]

---

1. Amie et correspondante de l'auteur, elle a traduit en anglais les *Contes* et *Les roses sauvages*.

Nous semons gaiement les espérances du jeune âge dans les rides de la vieillesse...
— Wilmington, tu te laisses devancer par le soleil!

YOUNG
(Troisième nuit)

du grand saint Pierre de Miquelon —, mais l'on eût bien aimé aussi que pour une fois un notable hautement considéré, ancien préfet de comté, fût allé dans le champ du potier[3], en dehors de la terre bénie, où ne vont jamais que les fols et les miséreux, et l'on ne craignit pas de dire, partant de là, sans trop hausser la voix, il est vrai, que le curé Godfrey s'était laissé payer à même l'argent du diable pour donner à Jean Goupil la sépulture chrétienne. Sous le couvert d'une telle calomnie, loin des clochers, fumant à la lisière du bois, revanche de Satan si finement dupé, de vilains bruits avaient persisté jusqu'à l'été suivant. Alors la brusque disparition d'Eméry Samuel leur a donné un regain. Qu'avec la grâce de Dieu, mon conte les dissipe à jamais !

Jean Goupil naquit à Rivière-Blanche, près de Matane, le neuvième d'une famille de treize enfants, dont douze seront rendus à leur grosseur, ce qui montre qu'il s'agissait d'une bonne et vaillante famille. S'il naquit en tel lieu, il n'en était pas pour autant né natif, car le nom des Goupil s'y trouvait nouveau ; il n'était pas non plus des parages, de Rimouski, de Matane ni de Cap-Chat ou de Sainte-Anne-des-Monts, venant de plus bas, de Gros-Morne, de Madeleine, de Paspébiac et même d'aussi creux que Chipâgan, près de l'île de Miscou, et de Tracadie où, en plus de maringouins gros comme des oiseaux-mouches, on gardait des lépreux[4] pour tenir à l'écart les Maritimers. Son père

---

3. Endroit non consacré, en retrait du cimetière, où étaient enterrés ceux à qui l'on refusait la sépulture ecclésiastique.
4. Fondé par les Hospitalières de Saint-Joseph vers 1840, le lazaret de Tracadie a reçu tous les lépreux du Canada jusqu'en 1962.

Jérôme avait été retenu par sa femme, née Blanchette, alliée aux Roy, aux Caron et aux Côté. Et cette mère, nommée Fabienne, était née native, elle, de Rivière-Blanche. Jean s'était trouvé à être conçu dans la passion que suscite le besoin de renouvellement, non seulement des individus mais aussi des familles et des clans, et à naître de deux sangs différents, celui des Hauts et celui des Bas. Dès l'âge de douze ans, après sa grand'communion, il monta à Montréal où, comme l'on sait, les Gaspésiens règnent sur les quais, débardeurs et arrimeurs depuis le début du siècle, après une conquête facile sur les Irlandais, déjà gaspillés dans les tavernes et amoindris parce qu'en vrais gibiers de potence ils investissaient et s'emparaient de la force publique dans tous les ports de mer, de Boston à Montréal. Les Gaspésiens avaient commencé par pousser leurs gens de rac[5], les Robinson, les Elemen, les Henley, les Tapp, les Ferguson, les Ross et bien d'autres encore, dont j'ai oublié les noms, qui se proclamèrent d'Irlande et furent accueillis comme des frères même s'ils parlaient surtout le français et ne portaient guère que des noms d'Écosse et d'Angleterre. D'ailleurs, quand ils furent en place, ils montrèrent que leur parenté était surtout de Gaspésie et se mirent à introduire des parents dont le nom était français. Patrick Blanchette fut le premier. Dorénavant, les Irlandais, à moins de se franciser, en seront quittes pour aller faire les farauds plus haut, dans les postes de police, loin des quais.

---

5. Déformation de l'anglais *wreck(ed)*, dans le sens de «gens de naufrage», échoués; au figuré, gens ruinés, déchus, brisés. Autres graphies: *rack* et *raque*. Plus répandu, être *raqué*: très fatigué, fourbu; *rêquer son char*: démolir sa voiture dans un accident.

Ce fut par son cousin germain Placide Caron que Jean Goupil eut un emploi de flow[6]-débardeur, de débardeur novice, de franc débardeur, puis de maître-arrimeur. Il se fit des muscles, personne n'en doutera, mais il pleura, les premières années, en pensant à Rivière-Blanche, à ce village incarné dans sa bonne mère, vaillante et imprégnée de lait, toute chaleur et douceur pour ses nombreux enfants qui, le temps venu, la quittaient, la mort dans l'âme, pendant que Jérôme Goupil, l'insolent, le sauvage, l'espèce de mari qu'elle s'était ramassé, venu du plus profond des Bas, restait sur son tangon, attaché par le grand nez crochu, le nez de rapace. Ah, l'insolent! le sauvage! que Jean Goupil détestait déjà à Rivière-Blanche, qu'il jalousa ensuite au point de le haguir, de vouloir le tuer, quand il fut à Montréal, les premières années. Ce fut dans ces sentiments qu'il se jura, le visage mouillé de larmes, de devenir patron de goélette, seul maître à bord, et de se mériter une femme comparable à sa mère, des meilleures familles de la Côte, venues des Hauts, de Saint-Pierre-de-la-Rivière-du-Sud, de Cap-Saint-Ignace, de Montmagny. Cc flow-débardeur, objet de joyeuses risées tout d'abord, ensuite des respects affectueux quand il fut devenu, jeune encore, maître-arrimeur, un des premiers sur les quais, sachez qu'il finit par l'avoir, sa goélette. Auparavant, dévoré d'ambition, ne fréquentant jamais les tavernes, même par les pires chaleurs, il voulut aller trop vite et s'essaya auprès de Dieu, puis auprès du diable, pour donner

---

6. De l'anglais *fellow*, se prononce «flo» et désigne, selon Ferron, un «garçon de six à treize ans qui fait son apprentissage librement en suivant par plaisir les hommes à leur travail».

son âme à l'un, pour la vendre à l'autre, et se vit bafouer par les deux à son grand avantage. Il était encore bien petit, comment l'aurait-on pris au sérieux? Mais lui, il était terriblement sérieux et ne compta dès lors que sur lui-même, seul maître de soi sur terre avant d'être seul maître à bord sur l'eau.

La vie d'un flow-débardeur, même s'il avait obtenu son crochet par l'entremise d'un cousin germain, même s'il travaillait au milieu de parents et de compatriotes, n'était pas la plus facile. Un soir qu'il n'y avait ni chargement ni déchargement, Jean Goupil, aussi pieux que sa mère lui avait demandé de l'être, sortit des quais et du domaine gaspésien. Au lieu d'aller faire ses prières, comme d'habitude, dans la chapelle Notre-Dame-de-Bon-Secours, il s'en fut plus haut, dans l'église Saint-Jacques[7], résolu de donner son âme à Dieu. À dire vrai, d'âme, il n'en avait guère, il n'en avait pas. Cette âme ne s'était pas encore dégagée de la nébulosité du lait. C'était au temps des curés omnibus. Il y en avait toujours un qui passait, surtout dans une église comme l'église Saint-Jacques. Celui qui passa l'embarqua. Jean Goupil n'avait pas encore parlé que déjà ce curé lui demandait son tiquette. Jean Goupil n'en avait pas et se souciait peu d'en avoir, tout imbu de son âme. Payer n'était pas son compte; il voulait seulement donner cette âme à Dieu. Le curé lui dit:

— Mon pauvre garçon, tu payeras plus loin.

Jean Goupil répondit:

---

7. Imposante église de la rue Sainte-Catherine, détruite pour la construction du campus principal de l'UQAM, et dont il ne reste que deux clochers.

— Curé, je ne veux plus de ta charrette. Laisse-moi descendre, j'irai en goélette.

Dans ce temps-là, les curés ne manquaient pas de passagers. Un p'tit Jean Goupil ne leur était que rien du tout, et même moins. Le curé l'a laissé descendre sans même lui donner de correspondance pour un autre curé : il ne l'aurait point prise. À la sortie de l'église Saint-Jacques, seul dans la rue avec son âme, Jean Goupil s'adressa à Dieu lui-même et lui tint à peu près ce discours :

— J'ai voulu Te donner mon âme, Tu n'as pas voulu la prendre : tant pis, Tu ne l'auras plus. Elle ne valait guère, elle ne valait rien, ça, je veux bien le croire. En voulant me la faire payer, si j'avais été assez niais pour le faire, elle aurait valu encore moins, c'est-à-dire moins que rien, et Tu me l'aurais revendue, cette âme de rien, de moins que rien, mais que j'avais eue pour rien de ma mère Fabienne, à Rivière-Blanche. Vieil escroc, salut ! Tu ne me reprendras plus.

Ainsi parla le pauvre Jean Goupil, qui ne savait pas ce qu'il disait. Dans la rue, les curés omnibus se sont mis à tourner, à tourner dans une ronde folle. À la fin, ils tournaient si vite que Jean Goupil ne les voyait plus : ils avaient fondu dans la couleur du jour. Un vieux tramway descendait la rue Saint-Denis. Il dépassa Jean Goupil, qui se fouilla : il n'avait même pas de correspondance. Passé Sainte-Catherine, le vieux tramway tourna au coin de Craig et disparut. Il n'y avait plus de bon Dieu pour Jean Goupil qui, vitement alors, descendit à son tour. À Craig, il ne tourna point. Il continua tout drette, regagnant les quais. Ce fut là qu'il tourna pour aller au plus vite à la taverne

Neptune[8], où l'on voulut le faire asseoir comme tout le monde.

— Laissez-moi passer, dit Jean Goupil, j'ai affaire au boss, je suis en retard ; c'est pressant.

On le laissa passer dans l'arrière-cuisine. Le diable, se trouvant seul, s'exerçait à faire rouler ses dés pipés.

— Tu arrives bien, Jean Goupil : je commençais à m'ennuyer.

Jean Goupil n'hésita pas un seul instant et s'assit à table en face de lui.

— Veux-tu faire une partie ?

— Non, Diable, je m'en viens te vendre mon âme.

Le diable, surpris, regarda Jean Goupil. Il n'était encore, malgré ses grosses mains, qu'un flow-débardeur. Le diable le regardait et en même temps jaugeait son âme qui ne valait guère, qui ne valait rien, et sa face devenait moqueuse ; à la fin il se mit à rire, il riait comme un pas bon et cherchait à dire, entre deux hoquets, qu'il ne s'ennuyait plus.

— Grâce à toi, Jean Goupil, grâce à toi !

— Diable, je ne suis pas venu pour te voir rire. D'ailleurs tu n'y parviens pas et ne fais que grimacer.

Le diable redevint de glace.

— Diable, je t'ai fait une proposition sérieuse : mon âme, me l'achètes-tu ou tu ne me l'achètes pas ?

Le diable regardait Jean Goupil de ses beaux yeux de serpent, au regard si nuancé et si triste.

— Ti-gars, tu m'es sympathique. Ton âme, elle baigne dans sa nébulosité de lait. Elle en sortira peut-être

---

8. Vers 1970, une taverne Neptune était située sur la rue de la Commune, dans le Vieux-Montréal.

mais, pour le moment, elle ne s'en est pas dégagée. Elle ne vaut guère, elle ne vaut rien. Ti-gars, tu repasseras. Je ne te dis pas non. Si jamais je la prends, je te la payerai en bel argent, au prix coûtant du marché.

— Imbécile, dit Jean Goupil au diable, tu n'as donc pas de devination?

— Ti-gars, si j'achetais toutes les âmes qu'on m'offre, je me ruinerais.

— Mon âme ne vaut peut-être pas grand-chose aujourd'hui mais, dans dix ans, elle vaudra un gros montant.

Le diable eut un faible sourire. Parce que Jean Goupil, flow-débardeur à peine arrivé de Rivière-Blanche, ne lui était pas désagréable, il lui dit ce que d'habitude il tait, à savoir qu'une âme vendue cesse de vivre et de s'enrichir.

— Tu repasseras, Ti-gars.

— Non, Diable, c'est toi qui viendras.

— Je te relancerai sûrement si la vie t'est favorable… Ti-gars, un autre conseil que je ne devrais pas te donner: garde les enchères ouvertes, vends le plus tard possible. Et défie-toi des imposteurs: moi, je paye toujours en argent.

Jean Goupil avait compris.

— Salut, Diable!

— Salut, Ti-gars!

Il sortit de l'arrière-cuisine.

— Une draft, Ti-gars. Viens t'asseoir à côté de moi. Je te paye la bière si tu veux, jusqu'à la fermeture.

— Merci, Monsieur.

Jean Goupil sortit de la taverne Neptune et n'y remit plus jamais les pieds. Hélas! il cessa aussi d'aller à l'église, sans pour autant se mal conduire. Ce fut désormais un garçon qui avait une petite idée derrière la tête, obstiné, qui savait où il allait. Il ne tarda pas à faire honneur, par sa vaillance au travail, par son sérieux et par sa détermination, à Placide Caron, son cousin maternel. À Rivière-Blanche, près de Matane, sa mère Fabienne ne reçut jamais de lui que de bonnes nouvelles. De flow-débardeur, il devint débardeur, puis chef-arrimeur. Le va-et-vient des quais permet à un homme avisé de gagner plus que son salaire. Après quelques années, homme de confiance de ses bourgeois, sans doute parce qu'il les volait plus habilement qu'un autre, Jean Goupil eut assez d'argent pour penser à s'établir à son compte. Tel un maquignon qui attend sa bête et n'en parle à personne, il attendait la goélette qui lui permettrait de quitter les quais de Montréal pour aller trafiquer dans le Bas du fleuve et dans le Golfe. Un capitaine qui avait un bon petit bâtiment, un équipage dévoué, la clientèle de plusieurs gros marchands, eut bien l'heur d'aller jouer aux dés dans l'arrière-cuisine chez Neptune. Ses hommes étaient restés dans la grand'salle. Pendant ce temps, le bon petit bâtiment — c'était une goélette baptisée *La Sainte-Anne* — était laissé seul dans le grand port de Montréal et se mit à prendre eau par une fissure ou un trou dans la coque qu'on n'avait pas décelé auparavant. Le capitaine sortit de l'arrière-cuisine avec une dette d'honneur dont il devait s'acquitter avant la barre du jour. Ses hommes le suivirent vers la goélette, trop saouls pour lui être de bon conseil. Ils pleuraient et le capitaine, dégrisé, qui marchait seul, pleurait aussi. À un moment donné, ils firent tous demi-tour et revinrent à la taverne Neptune dans le dessein de la mettre à feu et d'y ensevelir dans ses cendres le tavernier Jack O'Rooke, le diable et la dette d'honneur. Ce retour, ils l'opèrent d'instinct, pénétrés de leur dessein, sans même en avoir parlé. Seulement, ils n'étaient que quatre et trouvèrent devant la taverne et dans la taverne une merveilleuse dissuasion de têtes sinistres, d'épaules carrées, de bras et de palettes qui fit d'eux de petits garçons. Pendant que ses hommes restaient au-dehors, le capitaine, pour ne point perdre la face, entra dans la taverne, salué par Jack O'Rooke, et continua dans l'arrière-cuisine où le diable est à l'écoute d'un vieux poste de radio où le speaker, ému, annonce le triomphe de la vertu des États-Unis et la prohibition de tout alcool. Le diable écoute attentivement puis, la nouvelle finie, ferme le poste avec nonchalance pour dire au capitaine, sans l'avoir regardé :

— Quoi ! Déjà l'argent !

Maintenant il le fixe de ses beaux yeux fascinants. Le capitaine roulant sa casquette, de lui répondre qu'il a pensé…

— Pensé quoi ?

— Monsieur, que vous pourriez attendre que je descende dans les Bas et revienne.

— Que tu ne reviennes jamais, ô capitaine déloyal !

— Monsieur, je suis bien obligé de venir m'approvisionner.

— Capitaine, les marchands de Québec seraient enchantés de le faire.

Le diable ajoute :

— Il te reste deux heures pour t'acquitter de ta dette, capitaine.

Le capitaine repasse dans la taverne, de nouveau salué par Jack O'Rooke, et repart avec ses hommes vers la belle goélette qui ne paraît plus guère au quai où elle est amarrée, plus qu'à moitié enfoncée, sur le point de sombrer. Les hommes se précipitent aux pompes. Sur le quai, Jean Goupil, maître-arrimeur, dit au capitaine découragé :

— J'ai toujours remarqué que votre bâtiment avait un défaut dans la coque.

Le capitaine répond qu'il ne s'en était pas rendu compte. Le maître-arrimeur tourne le dos déjà quand le capitaine, inspiré par ses malheurs, s'écrie :

— Maître Jean Goupil, toi seul peux me sauver !

Jean Goupil revient, disant qu'entre Gaspésiens on doit s'aider. Toutefois, au chiffre mentionné, il se récrie :

— Pauvre capitaine ! Je te donnerais tout cet argent contre ta seule fortune, cette goélette gravement avariée, que je serais perdant.

Le capitaine, hagard, le supplie de prendre le bâtiment et l'équipage.

— Capitaine, il s'adonne que j'ai l'argent voulu pour acquitter ta dette d'honneur, mais que deviendras-tu par après ? Un ancien glorieux qui traîne sur les quais comme un loqueteux ? Non, capitaine, je n'accepterai ta goélette avariée qu'à la condition qu'en retour, en plus de mon argent, tu acceptes de devenir maître-arrimeur après moi sur les quais de Montréal.

Le pauvre capitaine s'acquitta auprès de Satan, devint maître-arrimeur, un emploi qu'il ne garda pas longtemps, car il aimait son bâtiment et mourut d'ennui. Sa goélette se nommait dorénavant *La Fabienne*. Si elle s'était enfoncée, cela ne dépendait pas d'un défaut dans la coque, mais simplement du fait que des malfaisants y avaient pratiqué quatre trous au vilebrequin que quatre grosses chevilles suffirent à boucher.

C'était comme toujours il en avait été, un solide bâtiment, un voilier rapide, dont le nouveau capitaine, Jean Goupil, sut tirer le meilleur parti. À cause de la vertu américaine, dès cette prohibition des alcools, la dévotion au grand saint Pierre de Miquelon se fit sentir plus grande dans le Golfe, où à sept milles des côtes commençait la liberté des mers, ce qu'on appelait des eaux internationales. Les bâtiments français, chargés de spiritueux et de vins, s'y tenaient à demeure, comme des échoppes flottantes. Le capitaine Jean Goupil garda la clientèle de son prédécesseur, fournissant les marchands du Bas du fleuve et du Golfe, ce qui ne l'empêchait pas d'arrêter aux échoppes dans les eaux qui n'appartiennent à personne, pour l'usage et le profit de tous, et d'ajouter le tonneau de pur esprit, de meilleur profit que toute une cargaison de barils de mélasse. La difficulté ne se trouvait pas dans le passage des eaux internationales à la Côte ; elle se trouvait sur terre, où la Gendarmerie royale avait érigé des postes qui rendaient impraticables les routes menant vers les États-Unis. Jean Goupil, de passage à Rivière-Blanche, après avoir été embrasser sa mère qui, à la vue de son uniforme de capitaine, s'était mise à pleurer et n'arrêta pas pendant que Jérôme Goupil, son père, pour une fois le traitant avec tous les égards dus à la fierté d'avoir un tel fils, ramena avec lui le puîné de Placide Caron, qui avait déjà navigué et dont il fit son second. Dès lors, il put s'absenter de sa goélette et s'occuper lui-même de passer à la barbe des gendarmes les bidons dont la valeur quintuplait, rendus chez les petits revendeurs. Il jouissait de la complicité de toute la Gaspésie dont il devint le héros par quelques coups d'audace. Quand il était dans Gaspé-Nord, il se servait comme paravent de feu le docteur Dontigny[9], médecin respecté de tous, dont la maison était ouverte à cause de sa femme, la grand'Thérèse Deschênes, originaire de Saint-Léon-de-Maskinongé, à tous les officiers de la Gendarmerie qui venaient jouer aux cartes quand la contrebande leur laissait des répits, ce qui arrivait souvent. Alors, quand Jean Goupil avait à traverser un barrage de police, il emmenait au-delà le docteur Dontigny auprès d'une pauvre malade, n'en pouvant plus de douleur, que le vieux praticien calmait d'une injection de morphine, «Notre seul remède», disait le médecin qui ne se trompait guère, puis il le ramenait, le coffre de l'auto rempli de bidons et, au barrage, quand la police les stoppait, le docteur Dontigny baissait la vitre et s'écriait: «Vous ne me reconnaissez donc pas, vieilles faces?» Alors, bien respectueusement, on se mettait au garde-à-vous et le lourd véhicule passait sans plus de difficultés.

Dans Gaspé-Sud, il se permit la plus grande des prouesses. Ce jour-là, toutes les populations étaient le long de la route pour rendre hommage à Mgr Ross[10] qui, de Gaspé, se rendait à New Carlisle pour une cérémonie de confirmation. Sa Grandeur était haute auprès de Dieu et fort aimée dans tout le diocèse. Un peu avant l'heure prévue, debout dans une décapotable suivie de quatre limousines de dignitaires, elle passa

---

9. Arthur Dontigny (1882-1954), médecin à Sainte-Anne-des-Monts et en Gaspésie pendant une trentaine d'années. Ferron le considérait comme «un des catholiques les plus remarquables» qu'il ait rencontrés. Sa femme, Alice Lescadres (1888-1956), était la cousine germaine du père de Jacques Ferron.

10. François-Xavier Ross (1869-1945), nommé premier évêque de Gaspé, en 1923.

en bénissant, à une vitesse moyenne qui était peut-être supérieure au petit train ecclésiastique, ce dont personne d'ailleurs ne se formalisa, car tout le monde avait été béni et l'on croyait que Sa Grandeur, pour une raison seul connue du Seigneur, était en retard. Seulement, lorsque le vénéré Mgr Ross s'amena par après, de trente à soixante minutes plus tard, il n'y avait plus personne pour le saluer au passage, plus personne à bénir, et il demanda au chanoine Miville-Deschênes, assis auprès de lui, dont la conversation lui était agréable: «Arthur, serais-je en disgrâce auprès de Nos Seigneurs les diocésains?»

— Ma Grandeur, répondit le chanoine, moi qui suis de votre compagnie parce que j'ai toujours réponse à tout, pardonnez-m'en: pour une fois, je ne comprends rien et donne ma langue au chat.

— N'en faites rien, Miville, le chat pourrait la garder. Et puis, permettez-moi un aveu: la bénédiction, à la longue, est lourde pour le bras. Moi, je ne m'en fais pas et me dis qu'il y a des explications qui nous attendent à New Carlisle.

Continuèrent vers cette capitale d'une ancienne province le bon Mgr Ross, son chanoine malin et avisé, la suite des dignitaires tant de Gaspé que de New Carlisle, dont les limousines carrées semblaient plus légères que les autres, dont nous avons parlé déjà. À New Carlisle, comme il s'y attendait, Sa Grandeur apprit qu'elle avait été précédée par un autre Mgr Ross et que c'est lui qui avait béni les populations de même que les gendarmes de Sa Majesté, le saluant militaire-ment, lorsqu'il avait franchi trois barrages successifs, érigés contre les contrebandiers dont la dévotion au grand saint Pierre de Miquelon commençait à prendre des proportions alarmantes.

En peu de temps, Jean Goupil multiplia les coups d'audace, puis il s'en revint à sa goélette et se contenta désormais de ravitailler le Bas du fleuve et le Golfe. Quand les doutes portèrent sur lui, il était trop tard; quand les vedettes de la Gendarmerie royale arraisonnèrent *La Fabienne*, un soir d'octobre, comme elle quittait les eaux internationales pour s'approcher de Rivière-au-Renard, où elle apportait aux marchands du lieu et des villages voisins, de l'Anse-au-Griffon jusqu'à la Pointe-Jaune, leur provision pour l'hiver de farine et de mélasse, les policiers eurent beau fouiller toute la nuit, ils ne trouvèrent rien d'autre que de la farine et de la mélasse. Jean Goupil leur dit au matin, comme ils lui présentaient leurs excuses:

— Messieurs, vous m'avez dégoûté de la navigation puisqu'il n'est plus possible de caboter en toute honnêteté dans le fleuve et dans le golfe.

— Capitaine Jean Goupil, répondit le lieutenant McBerthy, vous aviez été dénoncé; nous n'avons fait que notre devoir.

— Je ne vous reproche rien. Je vous dis seulement que ma belle et solide goélette, nommée *Fabienne*, comme ma pauvre mère de Rivière-Blanche, m'est devenue indifférente depuis que vous l'avez arraisonnée. Elle est à vendre. Si vous connaissiez un gentleman qui, par ces années de fraude et d'aventure, pourrait en user avec honnêteté, comme je l'ai toujours fait, ayez la bonté de l'informer qu'elle est à vendre au plus offrant.

— Je prends note, dit le lieutenant McBerthy, et puis vous dire que Sa Majesté vous en sait gré, car c'est là un bâtiment qui, en mains déloyales, pourrait nuire grandement aux lois de notre pays et à sa renommée.

Le lieutenant McBerthy ne trouva pas d'acheteur et Jean Goupil vendit sa goélette au plus offrant, sans lui sonder le cœur et les reins. Quand on reçoit quinze fois le prix d'achat, on serait malvenu de se livrer à des considérations morales ou à des investigations policières. Il y a des curés pour ça et des criminologues. On n'est pas tenu à moucharder pour leur faciliter la tâche ; ils n'ont que trop tendance à devenir feignants de part et d'autre. Jean Goupil avait son compte. Adieu, la navigation ! Il n'empêche que, six mois plus tard, lorsqu'il apprit que sa goélette avait été saisie à quelques arpents du pont Charlemagne, dans une anse de la rivière des Prairies, alors qu'on achevait de la décharger de sa cargaison de bidons de fer blanc, une cargaison à garder saoule pendant une semaine toute la Nouvelle-Angleterre, il admira la prouesse tentée par son successeur à la barre d'une goélette vraiment prédestinée, qui se nommait encore *La Fabienne*. Elle fut revendue pour presque rien à un armateur des Grands Lacs, loin des eaux de la contrebande, qui d'ailleurs tirait à sa fin, de même que la dévotion au grand saint Pierre de Miquelon.

Jean Goupil s'installa dans une maison de notable, vaste et bien bâtie, qui avait appartenu déjà au vieux docteur Bourré ; elle était située dans la grand'rue de Cap-Chat, près du presbytère. Il n'avait pas trente-cinq ans. Il restait beau garçon, vif d'allure et de physionomie hardie. Sa mère était morte à Rivière-Blanche. Avec les années, il ressemblait de plus en plus à son père Jérôme Goupil. À son voisin, le curé Godfrey, qui lui demandait, un jour : «Avec cette maison-là, mon

garçon, veux-tu partir famille ou veux-tu partir hôtel?»,
il répondit:

— Curé Godfrey, je ne suis pas venu m'installer à
côté de vous pour commencer des chicanes.

— Voilà une réponse comme je les aime, Jean Goupil.
Et dire que je te voyais d'un mauvais œil. Tu as acheté
vite: je l'ai su, le marché était fait. Trop tard par consé-
quent pour l'empêcher. Et je me disais: «Avec son
argent, sa boisson, quel charivari je vais avoir! On
pensera que le diable et le bon Dieu ont rapproché
leurs deux boutiques pour mieux se disputer la clientèle.» Jean Goupil, tu arrives à Cap-Chat avec une
grande renommée et une mauvaise réputation.

— Curé Godfrey, on tâchera d'arranger ça.

— Penses-tu vraiment à te marier?

— Vous l'avez dit, vous-même: avec cette maison-
là, si l'on ne part pas hôtel, on part famille. On s'en
reparlera à mon retour de Mont-Louis.

À l'instar de son père Jérôme, qu'il n'aimait guère
et à qui il ressemblait plus qu'à sa mère, la bonne
Fabienne, Jean Goupil recherchait une jeune fille de
meilleur lignage que le sien. Or, au cours de ses navi-
gations, il avait débarqué maintes fois à Mont-Louis,
dont le havre est profond et offre abri contre les tem-
pêtes du norouais[11]. Les dernières fois qu'il débarqua,
c'était par beau temps et sans avoir trois clous à livrer
aux marchands de l'endroit et des alentours. Il disait
d'un air papelard que c'était pour le repos de l'équipage. Or, ses hommes savaient qu'il était un homme
dur dont il n'y avait pas à attendre le moindre ména-

---

11. C'est-à-dire, le *noroît*. Plus loin, *surouais* pour *suroît*.
Graphie qui rend la prononciation gaspésienne.

gement. S'ils l'aimaient, c'est qu'il se traitait au même et à la pareille. Ces descentes à Mont-Louis leur semblaient curieuses. Comme ils n'avaient pas à s'en plaindre, ils n'y regardaient pas de trop près. Ils allaient plutôt du côté de L'Anse-Pleureuse où il y a toujours eu des poulettes pour les coqs en maraude. Jean Goupil, de son côté, allait passer quelque temps dans le magasin de Monsieur Létourneau dont la jeune fille, Lorraine, tenait la caisse et ne manquait jamais de rougir et de respirer dru quand elle voyait entrer ce beau corsaire, ce fier brigand, qui ne semblait pas la voir et allait parler avec son père qui, ne sachant pas quand il aurait besoin de lui, l'accueillait toujours cérémonieusement. Le soir, Jean Goupil allait coucher à Mont-Saint-Pierre chez le bonhomme Louis Barnèche[12] à qui il n'oubliait jamais d'apporter une p'tite bouteille et qui était, avec sa cousine germaine du Grand-Cloridorme, une bible vivante de la Côte, c'est-à-dire un homme plein d'esprit, d'une langue déliée et qui savait tous les contes inventés depuis le commencement du monde. Un soir, revenant du magasin à la maison, Lorraine avait dit à son père :

— Qu'il est arrogant! Qu'il m'est déplaisant, ce patron de goélette!

— C'est vrai, répondit le vieux marchand.

Ils firent quelques pas en silence, puis au moment d'arriver à la maison, François Létourneau dit à sa fille Lorraine :

---

12. Déformation gaspésienne du patronyme Bernatchez, très fréquent à Mont-Saint-Pierre. La première maison de Ferron à Rivière-Madeleine avait appartenu à José Bernatchez dit Barnèche.

— Ce Jean Goupil, tout de même, s'il n'était pas un beau gibier de potence, serait de tous les hommes de la Côte, de Matane à Cap-des-Rosiers, le plus vaillant, le plus hardi et le plus intelligent des hommes à marier. Quand il vient s'asseoir à côté de moi, les paperasses s'envolent, les murs du magasin s'écroulent, je suis en pleine mer avec lui, sur sa belle goélette.

Lorraine Létourneau, ce soir-là, monta se coucher sans souper. La pauvre, si elle avait su que Jean Goupil l'avait remarquée et couronnée entre toutes les filles de la Côte, de Montréal et d'ailleurs, elle en serait tombée malade. Elle n'en sut rien parce qu'à cette époque son corsaire, son brigand, n'était pas encore libre. Une seule personne le savait, c'était le vieux Louis Barnèche qui, derrière son babillard, était plus muet qu'une carpe. Or, il arriva qu'une fois, de Sainte-Anne-des-Monts, un p'tit médecin, déjà faraud, descendit à Mont-Louis, ayant entendu parler de Lorraine Létourneau comme d'un bon parti. Or, après la grand-messe du dimanche qui suivit, elle sortit de la messe au bras de son père. Le vieux Louis Barnèche s'en vint dire à celui-ci que le curé voulait lui parler. Il resta seul avec Lorraine et lui dit : « Petite fille, n'oublie pas qu'un gibier de potence, que je crois assez fin pour tromper la corde, t'a choisie et couronnée. » Il n'en dit pas davantage : Lorraine avait compris. Quand son bonhomme revint, déclarant que le curé de Mont-Louis ne changerait jamais, que c'était un vrai mystère et qu'on ne pouvait même pas savoir ce qu'il avait à dire, Louis Barnèche le salua et s'en fut. Par après, le grand benêt, ayant eu bien l'heur de revenir de Sainte-Anne-des-Monts, fut de telle sorte éconduit que tout le monde le sut, du Cap-des-Rosiers à Matane, et l'on ne douta pas qu'elle était promise à quelqu'un de trop important pour accepter de rival, soit Dieu, soit un capitaine de goélette, qu'on ne nommait pas.

Quand Jean Goupil lui eut dit : « On s'en reparlera à mon retour de Mont-Louis », le curé Godfrey comprit aussitôt pourquoi son neveu, le docteur Thomas Rioux, y avait été évincé. C'était un sanguin qui facilement se fâchait. La colère contre Jean Goupil couva une minute ou deux sous son saint habit.

— Qu'avez-vous, curé Godfrey ?

— C'est ma ménagère qui me fait trop manger.

Il reprit :

— Écoute, Jean Goupil, je ne sais pas ce que tu vas faire à Mont-Louis et ne te demande rien. Seulement, n'oublie pas ce que je te dis : quand on veut une fille, on caresse le bonhomme.

Il se souvint qu'il avait donné le même conseil à son neveu Thomas Rioux, fit demi-tour et rentra en coup de vent au presbytère. De son côté, Jean Goupil descendit du Cap-Chat au Mont-Louis. Tout au long du voyage, il ne cessa de se répéter que Lorraine Létourneau devait être engagée ailleurs. C'était pour n'être point déçu. Loin de l'être, il fut ravi, car Lorraine avait maintenant vingt-cinq ans ; elle était accomplie, dans sa perfection de beauté, bien en chair, adorable. C'était un dimanche. Dans leur place de banc, la meilleure de l'église, elle avait encore son père pour cavalier, un p'tit vieux sec, poli et méticuleux comme il convient à un marchand sérieux. Jean Goupil n'avait pas eu de mal à retenir le conseil du curé Godfrey ; il savait que François Létourneau, dans son admiration de veuf pour sa fille, ne pouvait s'asseoir à son bureau sans disposer sa chaise de façon qu'il pût la voir à son gré, auprès de la caisse qu'elle tenait, telle une divinité du commerce. Arrivé de la veille, il était allé coucher à Mont-Saint-Pierre chez Louis Barnèche qui, à la sortie de la messe, s'approcha du père et de la fille et leur dit :

— Qui vous attendiez est arrivé.

— Que veux-tu dire par là, Louis ?

— Imagine-toi donc, François, depuis hier je parle narquois.

— Tu l'as toujours parlé, vieux chenapan !

— Pour mieux te servir, François Létourneau, dit Louis Barnèche, en lui tirant sa révérence.

— Ma foi, il va finir comme sa grand-mère, dit le vieux marchand à sa fille Lorraine, qui marchait comme un ostensoir entre les fleurs et les sapins.

— Lorraine, je te parle !

Elle venait d'apercevoir Jean Goupil et ne doutait pas qu'il fût revenu pour elle.

— Ah, mon père, quel beau sermon nous avons eu !

— Oui, en effet, plat à mort.

— J'en reste pénétrée, mon père.

— Lorraine Létourneau, ne va pas me parler d'entrer en religion, tu me damnerais. Sais-tu ce que je ferais ? Je bouterais le feu à l'église et au presbytère.

Lorraine Létourneau, qui avait déjà refusé un docteur en médecine, promit alors à son père de ne jamais entrer en religion.

— Ah ! ma Lolo, fit-il.

Le marchand faisait affaire avec la Banque qui, avant le retour des hommes des chantiers, lui faisait des avances moyennant des intérêts qui pouvaient monter dans les sept ou huit pour cent. Le lundi, Jean Goupil s'amena au magasin et lui dit :

— Monsieur Létourneau, je serai franc; j'ai échappé à la corde. Elle est finie pour moi la dévotion au grand saint Pierre de Miquelon. Seulement je n'en ai pas fini avec le Dominion du Canada.

— Je me doute bien, Jean Goupil.

— Savez-vous ce que veut dire l'enrichissement indu? Cela veut dire que j'ai plus d'argent que je n'en peux déclarer. Si je le déclarais, on dirait: «D'où ça vient?» Monsieur Létourneau, mon oncle Octave, le frère de feu ma mère, qui était un Blanchette, et, à Rivière-Blanche, mêlait les poulettes et les affaires, m'a déjà dit: «Ti-Jean, n'avoue jamais.»

— J'ai fort bien connu ton oncle, d'un lignage qui valait bien le nôtre... Il est certain qu'on ne saurait être trop discret sur ses affaires.

— Alors, voici, cher Monsieur Létourneau: abandonnez la Banque et faites affaire avec moi; vous y serez gagnant. Je le serai de même, car un trois pour cent d'intérêt vaut mieux qu'un rien du tout.

Ainsi Jean Goupil apprivoisa-t-il le marchand et trouva moyen de voir sa fille assez souvent, de la courtiser sans lui faire la cour, si l'on peut dire. Le bonhomme n'y voyait que du feu. Il trouvait même que Lorraine n'était pas assez prévenante et gentille avec Monsieur Goupil. Or, elle brûlait d'amour, sachant qu'elle ne pourrait jamais trouver meilleur mari sur toute la Côte, un mari à sa pointure car, si elle était Létourneau par le père, elle était Caron par la mère et celle-ci était morte, jeune encore, de n'avoir point épousé un brigand, un corsaire, un homme au nez busqué, insolent et farouche, venu des Bas. Le marchand qui ne cessait pas de la lorgner comme si elle était ce qu'il avait de plus précieux dans son magasin

— Jean Goupil était d'un même avis — finit bien par s'en rendre compte, mais déjà il était trop tard pour chasser l'espèce de loup, le rusé animal, le contrebandier qui avait fait les trente-six coups à la barbe des autorités, ce dénommé Goupil dont le père venait des Bas, c'est-à-dire d'on ne savait trop où, tandis que les Létourneau venaient de Saint-Pierre-de-la-Rivière-du-Sud et des plus belles paroisses de Montmagny, pour le chasser de la bergerie et l'empêcher de devenir le mari de sa fille. Du coup, le bonhomme piqua une attaque qui le mit encore plus à la merci de Jean Goupil. Celui-ci avait abandonné sa maison de Cap-Chat pour venir à Mont-Louis tenir le magasin de Monsieur Létourneau, retenu chez lui et qui se morfondait toute la journée de ne plus voir sa fille Lorraine, en compagnie de ce gibier de potence, qu'il sentait plus fort et à qui il faudrait bien finir par céder. La nuit, quand il avait des cauchemars, il voyait Jean Goupil et Lorraine se pencher au-dessus de lui. Il finit par en mourir. Il était temps, car la jeune femme et l'homme, dans toute sa verve et sa vitalité, commençaient à s'impatienter d'amour.

La vente de *La Fabienne* avait permis à Jean Goupil d'apprendre à ces Messieurs du fisc qu'il détenait légitimement quelque argent ; celle du magasin de Mont-Louis, qu'il avait de la fortune, même si elle était confondue avec celle de sa femme. Ils vinrent demeurer à Cap-Chat, près du presbytère, et ils eurent quatre enfants, trois filles et un garçon, Chaouac, Marie et Tinamer, puis Bigué[13], le cadet, qui furent tous mis au

---

13. Noms des quatre enfants de l'auteur : Tinamer, anagramme de Martine ; Bigué, surnom de Jean-Olivier.

monde à la maison par le docteur Minville, de regrettée mémoire, le meilleur accoucheur de la Côte. Et ils furent heureux, cette fille de marchand scrupuleux et cet homme résolu, contrebandier à la retraite, avec leur progéniture, aussi libre et naturelle qu'une portée de petits animaux. S'il n'eût écouté que son cœur, Jean Goupil les aurait gardés fauves, sans instruction, mais Lorraine savait parler à sa raison sur l'oreiller du lit et les petites prirent le chemin du couvent, Bigué, celui du collège, aussi loin qu'à Montréal où se trouvaient les meilleures maisons d'éducation. Resté seul avec sa femme, Jean Goupil redevint entreprenant, s'occupa d'élections, fit quelques députés. En retour, il eut quelques quais à construire dans Gaspé-Nord, dans Gaspé-Sud et même au Nouveau-Brunswick et aux Îles-de-la-Madeleine. Le curé Godfrey fréquentait chez lui. Il plaisait à la Côte par ses anciennes prouesses, aux notables par sa fortune. Et les années passaient, et les années tournaient, se confondant avec la couleur du jour, du jour qui se faisait plus court, suivi de la nuit qui se faisait plus longue.

Jean Goupil n'entretenait avec Dieu que des relations mondaines, celles que lui imposait sa condition, rien de plus. Sa femme Lorraine n'était pas parvenue sur l'oreiller à parler à son âme. Et il considérait le Révérend Godfrey comme une manière de vieux sorcier. S'il gardait quelque reconnaissance, c'était au diable qui, jadis, dans l'arrière-cuisine de la taverne Neptune, lui avait été de bon conseil. Le diable, non plus, n'avait pas oublié Jean Goupil et, chaque année, à l'automne, durant la retraite paroissiale, en l'absence de Madame Goupil, il frappait à la grand'porte. Jean Goupil criait :

— Qui est là? Si c'est un quéteux, si c'est un ami, qu'il passe par la porte d'à côté.

Le diable ne bougeait pas de la galerie, près de la grand'porte de la belle maison de Jean Goupil, qui le reconnaissait aussitôt quand il se mettait à rire, ah! rien qu'un peu, entre ses belles dents blanches.

— Jean Goupil, c'est un ami qui ne passe que par la grand'porte. Ouvre-moi, tu feras un bon marché, je te le promets.

— Diable, tu repasseras l'année prochaine.

— Jean Goupil, la Gaspésie c'est loin, bien loin de là taverne Neptune: ton âme, Ti-gars, est-elle toujours à vendre?

— Diable, je ne me dédis pas: mon âme est toujours à vendre, mais je ne suis pas pressé. Tu sais pourquoi: tu m'en as instruit toi-même.

— Ti-gars, ouvre-moi, nous ne ferons que jaser comme de vieux compagnons. Ne me laisse pas repartir, ce sont les grandes mers; les entends-tu qui battent la falaise? Permets-moi de me reposer un peu: le retour sera si long!

— Diable, je ne te déteste pas, tu le sais, mais je n'aime pas qu'on me parle comme à un imbécile: sur ta chaise de maréchal ferrant, tu voyages plus vite que l'éclair.

— Ti-gars, je fais ce que je peux comme un marchand qui tient à son marché et ne dit pas toujours la vérité. J'aurais bien aimé entrer pour te voir un peu; tu étais beau et fringant: je suis sûr que tu n'as pas changé.

— Diable, pourquoi es-tu menteur? L'huis n'arrête pas ton regard et tu vois que je suis à présent vieux et narquois.

— Jean Goupil, je reviendrai l'an prochain.

— Je le veux bien, Diable, mais ne t'amène pas quand ma femme est à la maison.

— Jean Goupil, je reviendrai, comme cet automne, pendant la retraite paroissiale.

Et le diable s'en retourna, d'autant plus penaud que c'était lui qui avait conseillé à Jean Goupil, tout en gardant les enchères ouvertes, de vendre son âme le plus tard possible. Chaque automne, il revenait et, chaque fois, il était renvoyé. Et les années passaient et les années tournaient, tournaient de plus en plus vite dans leur ronde, tournaient si vite que Jean Goupil n'aurait pu tenir la barre de *La Fabienne*, même sous la protection du grand saint Pierre de Miquelon. Sa femme, de quinze ans sa cadette, restait vigilante et alerte, ne gardant dans ses veines que le meilleur du sang des Létourneau de Saint-Pierre-de-la-Rivière-du-Sud. Les enfants étaient tous établis. Qu'elle était loin maintenant la portée des petits animaux, doux comme leur mère, fauves comme leur père! Et les années tournaient, tournaient si vite que Jean Goupil ne voyait presque plus le temps. Quand l'automne revint, assis dans sa bergère, devant la table à cartes, il se dit quant-et-lui: «Ti-gars, avant de ne plus le voir, il faut tenir parole et la vendre, cette âme que tu as eue pour rien à Rivière-Blanche, jadis, pas loin d'ici.» Les Rédemptoristes, en leur tournée de comédiens[14], revinrent prêcher la retraite paroissiale à Cap-Chat. Le vent hurlait. C'était de nouveau les grandes mers.

_____

14. La plupart des membres de la congrégation des Rédemptoristes établis au Québec étaient d'origine belge. Les curés avaient coutume de les inviter à prêcher les retraites annuelles dans leur paroisse, les unes destinées aux hommes; les autres, aux femmes.

— Lorraine, tu ferais mieux de rester à la maison.

— Jean Goupil, tu fus le plus hardi des contreban-diers du temps…

— Lorraine, quoi, tu savais!

— Jean Goupil, c'est pour ça que je t'ai épousé. Alors, tu comprends, ce n'est pas un peu de vent qui m'empêchera d'aller à l'église toute proche quand il me faut être pieuse pour deux.

Elle n'était pas partie pour l'église que le diable frappa à la grand'porte. On ne l'ouvre que rarement, pour les jours fastes de la famille et la visite de l'enfant Jésus. Ce n'est pas une porte facile à ouvrir. Jean Goupil essaya et ne put.

— Diable, aide-moi, pousse la porte et entre vite qu'on discute notre marché.

Le diable entra, traînant sa vilaine chaise de maré-chal ferrant. Il n'avait pas changé en dépit des années, tel que Jean Goupil, flow-débardeur, l'avait connu à la taverne Neptune. Jean Goupil prenait ses aises dans sa bergère. Le diable, assis sur sa vilaine chaise de bois, se tenait raide et, entre eux, il y avait la table à cartes.

— Ti-gars, commença le diable…

— Plus de Ti-gars, point de parlottes: sors ton rou-leau. Tu n'es pas pour me payer de fausse monnaie.

Le diable sortit son rouleau; il était gros comme une cuisse de fille bien faite et grassette. Les années tournaient, le temps prenait la tangente comme une flèche: qu'elle était loin, cette fille-là!

— La veux-tu, Ti-gars? Tu l'auras.

— Laisse-moi choisir trois de tes piastres dans le rouleau.

Jean Goupil tira trois billets: aucun d'eux n'était faux.

— Tu seras dans la capacité de la prendre sept fois dans la nuit.

Jean Goupil ne daigna point répondre. Il se contenta de dire :

— Maintenant, abats.

— Il y aura sept nuits comme celle-là.

— Je te dis : abats.

Le diable se mit à abattre ses piastres sur la table à cartes. Jean Goupil n'avait plus qu'une toute petite lueur dans le regard, juste assez pour surveiller le diable. Quand celui-ci s'arrêtait, aussitôt Jean Goupil lui disait de continuer, que ce n'était pas assez.

— Ti-gars, voudrais-tu me ruiner ?

— Abats, je te dis.

Et les années tournaient de plus en plus vite, le temps allait s'effacer, mais Jean Goupil ne quittait pas des yeux la table de jeu. Quand le diable s'arrêtait, il lui répétait de continuer ; le rouleau, bientôt, eut perdu toute sa chair ; il fut à l'os.

— Ti-gars, tu me ruines !

— Diable, un maquignon n'apporte dans un marché que l'argent qu'il faut : ni trop, ni pas assez.

— Tu veux donc tout le rouleau.

— Diable, je te dis, abats.

Aux dernières piastres, Jean Goupil avait peine à voir. Il ne regardait plus sur la table, mais fixait le diable au visage. L'heure de partir avec lui était arrivée. Il aurait dû avoir peur et ne ressentait pas la moindre inquiétude. Peut-être était-il incapable d'humeur et de sentiment ? Par contre, dans les yeux moqueurs du diable, il a vu l'ironie décroître et, à la place, l'effroi paraître. La ronde des années s'arrêta. Le temps s'était effacé. Qu'avait donc le diable à témoigner d'un tel effroi? Voici qu'ensuite il déguerpissait, renversant sa vieille chaise de maréchal ferrant; voici qu'il ouvrait la grand'porte avec fracas, se sauvant dans le noir, parmi les hurlements des grandes mers qui se brisaient contre la falaise, en bas de l'église. Qui donc se tenait derrière Jean Goupil? Qui donc avait mis en déroute le diable, y perdant son argent et sa chaise volante, sans emporter pour autant l'âme qu'il venait d'acheter? Jean Goupil n'eut pas la force de se retourner, mais il y avait quelqu'un, quelqu'un dont la voix était plus douce que celle de sa mère Fabienne, plus douce que la voix de sa femme Lorraine, quelqu'un derrière lui qui n'était pas son père Jérôme, qui n'était ni homme ni femme et lui disait:

— Tu es mort, Ti-gars.

— Je suis mort, Seigneur?

Pourquoi donc Jean Goupil s'adressait-il ainsi à celui qui se tenait derrière lui et dont la venue avait mis en fuite le diable? Il n'y avait plus de temps. L'ancien capitaine de goélette avait fondu dans l'espace. Il était devenu tout l'espace du monde et néanmoins Dieu trouvait place pour Se tenir derrière lui. De plus en plus loin, comme s'il montait dans le ciel, Jean Goupil apercevait encore, sur la table à cartes, un monceau d'argent dont le montant dépassait l'entendement et ferait parler l'imagination, tout l'argent qu'il avait volé au diable pour le donner à sa femme, à ses trois filles Chaouac, Marie et Tinamer, et à son fils Jean-Olivier, qu'on surnommait Bigué. Jean Goupil était content:

— Ah! Je suis mort. Et puis après? N'en avais-je pas le droit? N'était-ce pas mon tour?

Dieu lui dit :

— Content, Ti-gars ?

Jean Goupil, rendu plus haut que la tempête des grandes mers d'automne, qui n'entendait même pas crier le rédemptoriste dans l'église de Cap-Chat, répondit au Seigneur :

— Content, ça ne se dit pas ; je monte, je monte, je vais peut-être en Paradis ! Et avant de partir, Seigneur, j'ai fait un diable de bon marché…

— Oui, Ti-gars, parce que Je suis arrivé au bon moment. Il y a plus malin que le Malin. On dira que c'est Jean Goupil, car Jean Goupil, pour une fois, était du bon côté. Je ne suis pas un ingrat : tu M'avais donné ton âme, J'ai attendu un peu puis Je suis venu la prendre, c'est tout.

On trouva donc l'ancien capitaine, celui qui avait été le contrebandier le plus hardi et le plus prudent de la Gaspésie, mort devant un tas de piastres, le plus gros qu'on eût jamais vu. Cela avait suscité de vilains bruits de Gaspé à Matane. Le curé Godfrey lui chanta quand même une messe de funérailles et l'enterra en terre bénie. Cela coupa le sifflet aux rumeurs et fit taire le plus fort des bruits. Il en persista quelques-uns parce que, sous la rumeur nouvelle, c'étaient des bruits très anciens qui avaient réveillé d'encore plus vieilles légendes. Ils émanaient des p'tites rues et des rangs éloignés, proches de la lisière du bois. On disait par exemple qu'on avait acheté le curé avec l'argent de Satan. C'était mal connaître les Létourneau, qui ne sont pas des dépensiers, qui ne jettent pas au vent leur argent, même si cet argent leur vient du diable. Pauvre curé Godfrey ! Il n'avait eu que ses honoraires fixés par le droit canon et ajustés par l'ordinaire du diocèse, rien de plus, à part la vilaine chaise de maréchal ferrant qu'on avait trouvée à la renverse dans le salon, la grand'porte ouverte malgré l'intempérie, à côté d'une table jonchée d'argent et de la dépouille de Jean Goupil. Cette chaise peinte à la suie, calcinée par les tisons qui se détachent des flammèches, n'était pas un cadeau. Le curé l'avait fait mettre tout bonnement dans la salle paroissiale qui, mal finie, sans chauffage, restait abandonnée dès les premiers jours de novembre aux derniers jours de mai. Or, au début de l'été qui suivit la mort étrange, sinon merveilleuse, de Jean Goupil, Eméry Samuel, le sacristain, le bedeau, l'homme de cour du curé Godfrey, faisait le ménage de cette salle, étant donné que Fred Ratté[15] et ses comédiens s'étaient annoncés. Ils avaient connu des triomphes à Matane et à Rivière-Blanche. Ils descendaient la Côte, précédés par la gloire. Cap-Chat se préparait à les accueillir aussi bien qu'en amont. La journée était belle. Le curé Godfrey se berçait sur la galerie du presbytère. Eméry Samuel, traînant la vilaine chaise, sortit de la salle paroissiale et lui cria :

— Curé Godfrey, qu'est-ce que je vais faire de ça ? Si vous voulez mon avis, c'est tout juste bon à jeter sur le plein[16].

---

15. Le Théâtre de Notre-Dame-de-Grâces, dirigé par le comédien Alfred Ratté (décédé en 1961), est l'une des nombreuses troupes qui sillonnèrent le Québec dans les années 1940 et 1950. Parfois, une partie des recettes de la représentation était versée aux œuvres de la paroisse.

16. Surface plane, de sable ou de roc, le *plein* (ou *plain*) est le point d'un rivage qu'atteint la mer lorsqu'elle est pleine (ou *dans son plein*), mais qu'elle ne mouille pas. Cependant, elle l'inondera durant les grandes marées.

— Attends, Eméry.

Fermant son bréviaire, le curé Godfrey descendit de la galerie et vint examiner la chaise du maréchal ferrant.

— Eméry, tu resteras toujours le même : tu ne connais pas la valeur des choses. Cette vilaine chaise-là, j'en connais qui donneraient gros pour l'avoir.

— Curé Godfrey, vous voulez encore vous moquer de moi ! Ce n'est qu'une vieille chaise comme on en trouve dans les boutiques de forge, une chaise de maréchal ferrant.

— Et si je t'apprenais qu'elle va vite comme l'éclair ? Que c'est la chaise que le diable prend pour voyager ? Jette-la sur le plein et que la mer l'emporte : là, Eméry Samuel, je suis entièrement de ton avis.

Là-dessus, le curé Godfrey regagna la galerie du presbytère et se remit à la récitation de son bréviaire. Fort de toute sa science et de toutes ses vertus, il était en sécurité, lui. Un qui restait toujours en danger, c'était le pauvre Eméry parce qu'il n'avait guère d'esprit. Dévoué, personne ne le niera ; trop curieux par incompétence, ça non plus, personne ne le niera. En traînant la vilaine chaise vers la falaise pour la jeter d'en haut sur le plein, l'idée lui vint de l'essayer. Le curé Godfrey, levant les yeux, devina son intention ; il n'eut pas le temps de crier. Eméry Samuel était assis sur la chaise de maréchal ferrant ; tout aussitôt, elle monta droit dans l'air et l'on fut bien pour cinq ans à n'avoir pas de nouvelles du sacristain. Le pauvre, il faut lui pardonner parce qu'il n'avait jamais su ce qu'il faisait.

— Eméry ! Eméry ! criait le curé Godfrey, au milieu de la cour du presbytère. Les voisins étaient accourus.

— Eméry, reviens!

Hélas! les cris du curé furent vains. Assis sur la maudite chaise, le sacristain montait, montait toujours plus haut. Et nombreux furent ceux, groupés autour du curé Godfrey, qui le virent disparaître. Jugez un peu du regain des mauvais bruits, des sourdes rumeurs dont j'ai parlé déjà. J'ai donc entrepris ce conte pour rétablir les faits dans leur vérité et sauver de l'infamie la mémoire de Jean Goupil.

II

LE NOM DES GOUPIL est connu dans notre nation depuis toujours. Après le déluge de l'Atlantique, quand les Jésuites mirent la Nouvelle-France sous la sujétion des Hurons, méprisants pour le roi et les Français de France, épris des hommes nouveaux qu'ils rencontraient et les offrant à Dieu sans passer par les bons offices de l'Europe, ils eurent un petit saint habillé de ce nom[17], auquel on ne pense guère, caché par les vedettes de la fournée de martyrs et de confesseurs dont ils se payèrent la gloire pour éclabousser de lumière l'erreur qu'ils avaient commise en jetant leur dévolu sur les Hurons au lieu des Iroquois. Ce petit saint reste toujours sur les saints autels, même s'il est moins connu que son homonyme de Cap-Chat, qui dupa si cruellement le diable, sauvant son âme, même s'il en avait reçu le prix en piastres canadiennes. Ce beau nom de Goupil serait normand au dire de certains de nos académiciens[18], et pour d'autres, souriquois, de

---

17. René Goupil (1608-1642), chirurgien, missionnaire français, le premier jésuite martyr nord-américain de l'Église catholique.
18. Fondée en 1944, l'Académie canadienne-française est devenue l'Académie des lettres du Québec en 1992.

cette grande nation qui réunit toutes les provinces maritimes, de la Gaspésie à la Nouvelle-Écosse, à l'exception de Terre-Neuve et du Labrador.

Les connaisseurs ont prétendu que le nom a pu se prêter à ce mélange de Normand et de Souriquois[19] parce qu'on ne le rencontrait guère autrefois qu'en Gaspésie. C'est de cette province qu'il serait parti, au travers de la baie des Chaleurs, pour gagner les hauteurs de Caraquet et la péninsule de Miscou, et de même, à rebours, le grand fleuve, Québec et Montréal. L'usage semble prendre le parti de ces connaisseurs, car on dit que les Goupil sont gens des Bas. Évidemment cette notion, si importante dans notre pays, reste relative et doit toujours être comprise par le repère. Ainsi les Hauts, dont on a parlé à propos de la grande famille des Létourneau, de Saint-Pierre-de-la-Rivière-du-Sud, de Cap-Saint-Ignace et de Montmagny, et en opposition avec l'origine de Jérôme Goupil, venu des Bas les plus profonds, ces Hauts-là n'en sont pas vraiment. Le partage semble se faire à Québec. Ainsi a-t-on encore Berthier-en-Bas, près de Montmagny, qui s'oppose à Berthier-en-Haut, sur la rivière Bayonne, en face de Sorel. Cela montre bien que notre pays a un genre familier et qu'on n'en parle bien que dans l'intimité, à la barbe des étrangers, fussent-ils Français de France.

À mon humble connaissance, lesdits connaisseurs, académiciens et membres de nos sociétés de généalogie, dont je pense d'ailleurs beaucoup de bien, car on y a été unanime à nommer «première génération» celle qui s'est établie au pays, basculant dans ce fourre-tout mérovingien qu'est la France toutes celles qui ont

---

19. Ancien nom français pour désigner les Micmacs.

précédé cette génération d'ennoblissement (et les quelques exceptions, confirmant cette loi d'or, montrent des familles félonnes, telle la famille Salaberry), ces connaisseurs, dis-je, secoués par la navette entre les Hauts et les Bas, n'ont jamais parlé des Goupil du profond des terres. Or, ce profond existait, au sud de Québec, le long des rivières Etchemin et Chaudière. Leurs bassins représentaient un vaste territoire aboutant aux forêts de la Nouvelle-Angleterre. On en prit possession en l'occupant, après 1713, par raison d'État et pour confondre les prétentions des obstinés Bastonnais[20] qui tenaient pour lors, parce que le traité d'Utrech n'avait pas fixé de frontières, à ce que leur pays montât jusqu'aux hauteurs de Lévis. Auparavant, vu que les Abénakis avaient un pays de Boston à Québec par la réunion de deux rivières qui s'aboutaient, les rivières Chaudière et Kennebec, on les leur avait échangées contre les bassins de la rivière Saint-François, Yamaska et Bécancour, qui avaient le double avantage de n'être que canadiens et d'offrir plus de ressources que le bassin des deux premières. Pour les profondeurs ainsi offertes, vivement pressés d'ailleurs de s'y installer, les cultivateurs canadiens, pour aller se défricher des terres, établir des paroisses et fonder la possession du roi de France, quittaient, pour la première fois, le dégagement du grand fleuve et la plaine, plus ou moins large, de ses bordures. Il y restait certainement des nomades, contents de les voir arriver, y trouvant leur avantage, comme ces pionniers, le leur, par une

---

20. D'origine abénaquise, nom donné par les Canadiens aux Américains insurgés pendant la guerre d'Indépendance (1776-1783).

symbiose naturelle qui a toujours existé entre les chasseurs et les agriculteurs. Sainte-Marie, Saint-Joseph, Sertigan furent fondés tout au long de la rivière Chaudière. Plus tard, les parages du grand lac Mégantic seront soumis à l'agriculture. À l'Est, le comté de Dorchester sera plus longtemps négligé. Or, c'est dans ce comté, non plus dans les Hauts ni dans les Bas du pays, mais dans son profond, qu'on rencontre nombreux, aussi nombreux que dans la Beauce, celui des Nolet, naguère Wawanolet, le nom des Goupil. Si, dans le cas du petit saint jésuite, on ne saurait douter qu'il ne soit venu de France, dans celui des autres, qu'ils soient des Bas ou du Profond, il reste possible, sinon probable, qu'ils se soient amalgamés à nous, venant de diverses nations, des Abénakis, des Etchemins, des Malécites et des Souriquois. L'Amérindien pouvait se franciser en ne gardant, de son nom antérieur, que des syllabes françaises, comme il en fut pour les Nolet, mais, le plus souvent, ils optaient pour leur nom de baptême et, comme il y a eu un aumônier et un chef de la nation des Abénakis, qui portèrent le nom de Louis de Gonzague, on peut se demander si la plus grande partie de nos Jean Goupil ne nous est pas venue par le truchement du premier sacrement. Ainsi en fut-il du deuxième Jean Goupil en titre dans ce conte, encore que je ne sois pas en mesure de certifier son origine amérindienne.

Je tiens à dire les choses telles qu'elles ont été. Autrement, le conte permet tant de facilités, dont le merveilleux n'est pas la moindre, qu'il semblerait dégagé de toute réalité, insignifiant, niaiseux, alors que, par son biais aigu, c'est une façon de la surprendre et de la dire dans toute sa simplicité. Dans celui-ci, je dois admettre que toutes mes considérations sur Jean Goupil (sur le nouveau car, dans notre prodigieux pays, dès qu'un Jean Goupil meurt, tout aussitôt un autre naît), risquent d'être plutôt oiseuses, car il est né d'une naissance à bien des égards incertaine, de père et de mère inconnus, et qu'il fut, quelques heures après, exposé contre une des portes latérales de la basilique de Québec dans un petit moïse. Apporté à la Miséricorde[21], il fut baptisé Jean Goupil d'autorité par le vieil aumônier qui, avec sa réputation de lunatique, aurait pu tout aussi bien le nommer Thomas Lebœuf ou Jean-Baptiste Boulanger[22], sans nuire le moindrement à cette réputation. Messire Louis-Marie Doyon était justement déclaré lunatique parce qu'il avait un flair ou, si l'on veut, un sens prémonitoire des pauvres enfants trouvés qu'on lui livrait pour qu'il sacramentât le sens de leur passé antérieur et de leur avenir dérisoire. L'abbé Doyon n'en resta pas au baptême et, chaque matin, avant sa messe, il venait se pencher sur le petit Jean Goupil, qu'on traitait du mieux qu'on le pouvait, car cet aumônier, en même temps qu'il respirait la bonté, avait quelque chose de terrifiant et de lucide, ayant observé que, dans les crèches de l'époque, les enfants mouraient trop souvent, trois ou quatre fois plus nombreux que dans les maisons

---

21. Dirigé par les Sœurs du Bon-Pasteur, l'Hôpital de la Miséricorde, annexé à la Crèche Saint-Vincent de-Paul en 1929, fut une maternité prodiguant des soins aux femmes et aux mères célibataires — ces dernières étaient désignées sous l'appellation péjorative de «filles-mères» — et aux enfants illégitimes.

22. Nom d'un ami de Ferron au Collège Jean-de-Brébeuf. À l'âge de 12 ans (!), il a publié un livre intitulé *Napoléon vu par un Canadien* (Bordeaux, Delmas, 1937).

pauvres et souvent malpropres. Des médecins replets, à la face poupine, venaient faire les constats des décès et n'en semblaient pas le moindrement troublés. Ces bébés étaient morts dans les formes. La médecine n'a pas changé depuis Molière. Si la mort ne correspondait pas au diagnostic et avait trompé le pronostic de la Faculté, le médecin faisait la moue, montrait un peu d'agacement et prescrivait l'autopsie qui, en massacrant un peu le chérubin, mettait des formes à l'endroit où elles avaient failli. Ces médecins ne traitaient les enfants que par surcroît ; le meilleur de leurs soins allait à la médecine, à la bonne conscience qu'ils avaient d'eux-mêmes ; et, comme on l'a vu, ils étaient, de tous les usagers de la Crèche de la Miséricorde de Saint-Vincent-de-Paul, ceux qui se portaient le mieux. À leurs mauvaises statistiques, ils avaient une réponse péremptoire et définitive : l'hérédité, c'est-à-dire la constitution même du péché. Messire Louis-Marie Doyon, le vieil aumônier lunatique, se donnait la discipline, lui, ne pouvant se satisfaire des sophismes de Messieurs les Médecins, encore moins capable d'admettre que, dans une institution fondée par le grand Vincent de Paul et que toute la société, celle des croyants et celle des mécréants, était unanime à admirer, la charité chrétienne fût pernicieuse au point de relancer en partie l'infanticide sacré des nations païennes.

— Sœur Supérieure, disait-il, de sa voix rauque qui rendait le bleu de ses yeux plus beau que le ciel d'une belle journée, Sœur Supérieure, écoutez-moi : reprenez votre cahier de calcul, votre crayon à mine et faites le compte, c'est facile : ce quatre cinquième nous donne le nombre des infanticides que nous perpétrons dans notre maison bénie, chaque année. Sœur Supérieure, écoutez bien ce que je vous dis : vous serez damnée et moi aussi.

Certaines supérieures sont devenues folles à cause de lui. D'autres, d'un naturel moins inquiet, sachant trouver conseil ailleurs, lui répondaient :

— Monsieur l'aumônier, vous dites quatre parce que Dieu vous a doué d'une âme excessive. Trois suffiront…

— Trois, c'est-à-dire deux de trop, vous suffisent… Mais vous êtes trop bonne, ma sœur !

— Messire, nous faisons de notre mieux, vous le savez. Cela ne nous rend pas laitières pour autant. Nous n'avons qu'un rôle de suppléance. Si, sur cinq enfants, trois montent à Dieu, munis de tous les secours de la religion…

— Taisez-vous, ma sœur : tous ces secours, toutes ces grâces ne sont que du vent comparés à la vie d'un enfant !

— Je dis donc, Messire, que si ces morts sont infiniment tristes…

— Épouvantables !

— …épouvantables, si vous voulez, Messire. Eh bien, sachez que, sans nous, au lieu de trois, il y en aurait cinq, Monsieur, cinq sur cinq. La charité doit être humble et souffrante, je n'ai pas à vous l'apprendre. Vous devez nous le dire et répéter, oui, Messire, à nous, pauvres filles qui restons la poitrine sèche alors que nous devrions avoir des seins gonflés dc lait.

Quand Messire Louis-Marie Doyon, aumônier à la Miséricorde, rencontrait une maîtresse-femme en la supérieure, il vaquait à son ministère en frôlant les murs comme un petit garçon. Quand il tombait sur un esprit inquiet, une pauvre dame aux humeurs malheureuses, il marchait au milieu du corridor comme un extravagant et n'aurait pas alors cédé le passage à un évêque, lui qui n'eut jamais la moindre couleur à son habillement. Il aimait les enfants abandonnés avec la passion d'un homme qui ne sait pas les prendre et ne peut rien pour eux directement. Les religieuses craignaient sa parole de feu, doutaient de son bon jugement et ne lui étaient pas moins attachées, ayant besoin de lui dans leurs humbles tâches. Jamais une plainte ne parvint au palais cardinalice. Il resta aumônier de la Crèche plus d'un quart de siècle. Dans l'exercice du baptême, les prénoms lui importaient peu : il les choisissait parmi les saints du jour. Par contre, il attachait la plus grande importance aux patronymes fictifs qu'on donnait aux enfants abandonnés. À la fin de sa carrière, il les choisissait juste ou bien près de l'origine. Dans ces pauvres enfants, il flairait le pays et semblait savoir d'où ils venaient. Lui-même, il était originaire de Sertigan, aujourd'hui Saint-Georges-en-Beauce, et c'est peut-être pour cela qu'il avait voué à Jean Goupil un amour singulier. Trop longtemps exposé à la porte de la basilique par un vilain temps d'automne, remonté des Bas où sévissaient les grandes mers, le pauvre enfant ne s'était jamais réchauffé et traînait faiblard. Messire Louis-Marie Doyon qui, chaque matin, passait, qui le gardait à l'œil, voyant qu'il ne ferait pas long dans la Crèche de la Miséricorde de Saint-Vincent-de-Paul, de se dire :

— Toi, mon espèce de Jean Goupil, tu n'es pas pour monter au ciel et m'y attendre, tes petites quenottes fermées, comme un accusateur !

Après sa messe, il prit congé et s'en fut sur les arrières des hauteurs de Lévis où une famille du nom de Carrier lui était obligée. La femme, une grand'rousse venue de Jersey qui avait blondi après son baptême et son entrée dans la sainte Église, était chaleureuse et laitière autrement que les p'tites sœurs de Saint-Vincent. La mise en nourrice de Jean Goupil fut acceptée sans discussion et jamais, par la suite, ces Carrier du bon Dieu n'oseront le retourner à la Crèche où l'on ne demandait pas mieux que de l'oublier. Toutefois, quand ces nourriciers eurent fait leur part et s'estimèrent acquittés de leurs obligations envers Messire Doyon, ils s'arrangèrent chrétiennement pour l'envoyer plus au Sud, chez un couple qui n'avait pas d'enfants et ne tarda pas à en avoir des brassées, plus qu'il n'en pouvait soutenir, de sorte que Jean Goupil devenait vraiment de trop. Sans être pour autant retourné à Québec, il continua vers le Sud, y glissant de plus en plus profondément. Les jeunes ménages se le passaient, telle une longue suite de relais, pendant que les lunes et les années tournaient. De la Maringouinière[23], peu après la terre des Carrier, par la Crapaudière où il s'en fallut de peu qu'il ne devînt un petit Irlandais, il arriva à l'âge de huit ans chez le pape Poulin, à Saint-Zacharie, sur les dernières hauteurs de la rivière Chaudière, et il y resta cinq longues années.

Un peu plus loin, au-delà d'un coteau qu'on voyait de la maison du pape, l'eau se mettait à couler à la renverse avec des petits bruits, des éclats, de vifs sourires, comme si elle se moquait des lois jusque-là observées, vers des ruisseaux qui, à l'encontre de cette

---

23. Maringouinière et Crapaudière sont deux toponymes qui apparaissent sur une carte de Saint-Magloire et dont s'est servi Ferron dans son *Ciel de Québec*.

bonne rivière Chaudière, fidèle à la ville de Québec, n'avaient pas besoin du grand fleuve Saint-Laurent pour gagner l'océan et le faisaient directement par des cours d'eau étrangers, soit la grand'rivière Saint-Jean, soit la Kennebec, on ne savait trop laquelle des deux[24]. Ce que très bien on savait, parce que le pape Poulin, qui amusait les étrangers et n'était pas toujours drôle pour les gens de la maison, l'avait tant et plus répété, faisant honte à Jean Goupil lui-même, c'est que, sur la pente cachée du petit coteau, on pouvait hardiment pisser dans les États-Unis. Tout dernièrement, ouvrant sa braguette et sortant un membre viril qui commençait à avoir de la consistance, sinon de la tenue, déjà empoilé à la base, Jean Goupil l'avait fait avec hardiesse, c'est certain, mais de plus, mais surtout le plus sérieusement du monde, car ne pisse pas debout qui veut, chose qu'il savait depuis longtemps, dont il n'avait pas jusque-là pensé à tirer gloire malgré l'enseignement du pape Poulin qui toujours prétendit que pisser de la sorte, plus que pour un chien lever la patte, c'était la merveille du genre humain.

— Le chien a besoin d'un poteau, d'une hart, tandis que l'homme, fait à l'image de Dieu, splendeur de la création, roi de la terre, se donne à lui-même la hart, la tige, l'arbrisseau par le jet qui sort de sa personne sacrée.

Si Jean Goupil, connaissant la merveille, n'avait pas trop osé en tirer gloire, c'est que la Romaine, femme du pape, et ses filles, qu'il considérait ses propres

24. Saint-Zacharie est situé à la frontière du Québec et du Maine, dont le tracé suit la ligne de partage des eaux entre le versant qui mène au Saint-Laurent et l'autre, à l'Atlantique.

sœurs, s'érigeaient en chœur grec et d'une seule voix s'écriaient:

— Pape Poulin, pisse comme tu voudras, mais sache que tu as le jet en frisette et que tu ferais mieux de t'asseoir comme tout le monde plutôt que d'asperger le siège de la bécosse comme tu ne manques jamais de le faire quand tu n'as pas l'étron au cul.

Le pape ne daignait même pas ouïr ces doléances, sincères, et ces récriminations, ardentes, trop au-dessus de la gente femelle. Ce pape Poulin, plus haut en couleur que tous les Borgia qui l'avaient précédé, dont le faste était ostentatoire et connu, non seulement dans Saint-Zacharie, mais encore dans Dorchester et dans la Beauce, n'avait quand même que des moyens très limités pour se maintenir dans les pompes à la hauteur de sa renommée et de sa gloire. Ses possessions se résumaient à une p'tite terre mal défrichée et qui n'aurait pas dû l'être du tout. À la rigueur, une espèce de petit Chinois, industrieux, n'arrêtant pas, aurait pu l'humaniser, la rendre belle et de bon profit, mais c'était un genre que le pape Poulin n'avait pas du tout; il l'avait même différent de ce grand maigrichon qui trônait alors à Rome[25] — «cet usurpateur!», criait-il à ses enfants, à ses cochons et à Jean Goupil. Celui-ci s'appliquait à l'admirer, même s'il n'y réussissait pas toujours. Après le moïse de Messire Louis-Marie Doyon qui, de la Crèche[26] de Québec, l'avait apporté sur les hauteurs de Lévis, après les paniers dans lesquels on se l'était passé de la main droite à la main gauche dans

<hr />

25. Allusion à la silhouette du pape Pie XII (1876-1958) et à ses «silences», souvent dénoncés, face à la montée du nazisme.
26. À l'époque, établissement destiné à recevoir les orphelins, des bébés nés hors du mariage, en vue de les faire adopter.

toutes les paroisses de la Beauce et de Dorchester, à cause de tout ce branle-bas qui ne lui avait laissé que de la grisaille dans la tête, peu de jarnigoine[27], une allure de chien battu et le verbe en équipollent, Jean Goupil, dévotionneux envers le pape Poulin faisait de son mieux pour ne pas lui déplaire. Hélas! cela ne lui était pas facile. Pauvre de lui, si démuni, il n'en avait pas moins des ennemis, en particulier la femme du pape, surnommée la Romaine, qui ne cessait pas de se lamenter contre lui, prétendant que, trop vorace, il ôtait le pain de la bouche de ses propres enfants. Il est vrai qu'à cause de la magnificence outrée de leur bonhomme, doublée d'ailleurs de sa paresse, ces Poulin-là connaissaient la disette, des jours durant, des semaines, parfois même des mois. La Romaine ne manquait jamais alors d'aller se plaindre au maire et au curé, assez fine pour n'en point revenir les mains vides; de leur côté, les garçons et Jean Goupil prenaient des lièvres au collet pendant que les filles chapardaient dans le voisinage. Le pape, lui, ne bronchait pas, attentant le retour de la bombance. Et il avait un faible pour celui qui n'était pas sa progéniture, pour cet orphelin qui prenait vie à sa chaleur bourrue et extravagante, qu'il garda plus de cinq ans et rendit quasiment à sa grosseur. Cette charité lui fut comptée quand il fut question, au Conseil de Saint-Zacharie, où les blêmes conservateurs avaient obtenu une majorité, de prendre les dispositions pour le chasser de la paroisse; on vit alors le curé Lagueux, représentant du pape de Rome, fils de Lagueux-la-Poche, d'une illustre famille de la Beauce, venir poser la question suivante:

27. *Talent, intelligence; audace, initiative.*

— Qui élève Jean Goupil?

Puis cette autre :

— Est-ce vous, Monsieur le Maire? Sont-ce vous, Messieurs les Conseillers?

Le conseil baissa la tête et le vaillant petit curé Lagueux s'en fut. Par après, parmi ces sépulcres blanchis qu'ont toujours été les conservateurs, des chiens relevèrent leur sale museau pour chuchoter, quant-et-eux, que la Romaine passait à la casserole du curé et que ce n'était là qu'un commencement, vu qu'il tenait de son père et qu'il avait l'œil déjà sur les filles de la Romaine, les petites chapardeuses qui s'en venaient grandettes. Telle était l'ignominie de cette race maudite qui, bientôt, allait se coiffer d'un béret blanc[28] et montrer ses dentiers pour relever son teint et grimacer un sourire de prothèse, vrai rictus d'esquelette.

Le pape Poulin finit quand même par se débarrasser de Jean Goupil, pas loin d'avoir atteint sa grosseur, capable en tout cas de pisser, merveille du genre humain, dans les États-Unis d'Amérique. Après un mois jaune[29], une famine comme il s'en voit rarement en novembre, l'abondance était revenue sur les hauteurs de la Chaudière, près du dernier coteau. Les truies de Sa Sainteté avaient été particulièrement prolifiques cette année-là. C'était de nouveau les avents,

---

28. Fondés par Gilberte Côté-Mercier en 1939, les Bérêts blancs formaient un mouvement catholique de droite dont le journal *Vers demain* a été longtemps soutenu par un imprimeur de Beauceville. Ferron fait allusion à la physionomie, souvent caricaturée, de Réal Caouette (1917-1976), chef du Crédit social, parti fédéraliste soutenu par le mouvement.

29. Ferron utilise à maintes reprises cette épithète à laquelle il donne le sens d'*improductif.*

le gel, installé pour l'hiver et, dans Saint-Zacharie, les cochons saignés, qui pissaient le sang et se relayaient d'un coin à l'autre de la paroisse pour soutenir le cri d'agonie annonciateur des Fêtes. Les mains rouges de sang jusqu'au coude, Jean Goupil courait les filles de la maison et leurs amies venues du voisinage pour la célébration; elles poussaient des petits cris et ne se sauvaient que pour mieux l'attirer dans quelque coin. Du perron de la cuisine, assis dans sa grand'chaise à accoudoirs, le pape Poulin présidait à la cérémonie. Quand Jean Goupil, les joues presque aussi rouges que les mains et les bras, passa devant lui, il le héla :

— Hé! Jean Goupil, arrête-moi ça : j'ai une commission pour toi.

Jean Goupil entra dans la cuisine, se lava, ôta son tablier et revint.

— Cesse de lorgner les filles, écoute-moi bien : j'aurai bientôt un grand procès contre la municipalité et je ne veux pas d'un p'tit avocat de Sertigan ou de Saint-Joseph. J'aurai besoin d'un avocat de la ville de Québec[30] et du meilleur ; il se nomme Ernest Cauchon ; il a plus de gueuloir qu'un étalon quand toutes les juments du diocèse sont en chaleurs : plaide-t-il du palais de Québec, qu'on l'entend distinctement sur les hauteurs de Lévis. Avec ça, pas commode, capricieux comme une catin. Jean Goupil, je ne suis pas pressé, j'ai tout le temps voulu pour le mettre à ma main. Tu lui apporteras cette plus belle cochonnaille de toute ma boucherie... La Romaine!

---

30. Ce périple de Jean Goupil à Québec, Ferron le reprend librement dans son «conte drolatique» intitulé «Le secret».

La Romaine apporta un baluchon qui contenait le morceau de choix.

— Tu diras à Maître Ernest Cauchon que ce n'est là qu'un petit cadeau pour commencer.

Jean Goupil s'endimancha, revint saluer le pape Poulin, la Romaine, tous les enfants, tant de la maison que du voisinage, qu'il considérait comme des frères et sœurs. Le baluchon à l'épaule, malgré son bel habillement, il se sentait plutôt morveux. Il partit quand même bravement, passa par Sertigan, Saint-François, Saint-Joseph, Sainte-Marie, tous gros villages ou petites villes le long de la rivière Chaudière, dans la plus belle des vallées. Après trois jours de marche, il parvint à Lévis et traversa à Québec où, sans même penser à s'amuser, sans même un moment pour s'ébaudir au milieu d'une aussi prodigieuse cité, il se mit en quête de Maître Ernest Cauchon que le pape Poulin tenait à avoir dans son grand procès contre la corporation de Saint-Zacharie-en-Dorchester. Il ne le trouva pas d'emblée ni autrement, pour la bonne raison que son merveilleux gueuloir ne valait même plus un vieux crachoir, étant donné qu'il était mort sans qu'on le sût à Saint-Zacharie. Après avoir rôdé trois autres jours, ne prenant que peu de repos, la nuit, dans les entrepôts de la Basse-Ville, à cause des rats qui, flairant sa cochonnaille, venaient gruger son baluchon, Jean Goupil commençait à se reconnaître parmi les lieux de sa naissance. C'était un garçon vaillant ; toutefois, le morceau de cochon rendait lourd son baluchon effiloché. Il ne tenait guère à le rapporter pour l'ajouter au superflu de la boucherie des avents, fameuse, cette année-là. De plus, le temps s'était réchauffé, le morceau risquait de se gâter. Voici comment Jean Goupil s'y prit pour rentrer allège à Saint-Zacharie.

Il avait remarqué que certaines rues étaient parlantes et que, des jalousies closes, de tendres appels semblaient lui être adressés. L'une d'elles, sous le cap, était particulièrement bavarde. S'il avait appris à lire, il aurait su que c'était la rue Saint-Vallier. Il se dit qu'il pourrait demander conseil aux personnes qui se tenaient derrière les jalousies et semblaient de bonne composition. Un après-midi, cette pieuse rue se trouvait vide de piétons. Alors, humblement, devant une jalousie, après avoir ôté son casque à oreilles, en peaux de lièvres, il raconta son voyage et demanda si, avant de le défaire, il ne lui serait pas possible d'échanger sa cochonnaille, la meilleure pièce de toute la boucherie qu'avait faite le pape Poulin à Saint-Zacharie, amont le coteau au-delà duquel on peut pisser dans les États-Unis… L'échanger contre quoi? Ça, Jean Goupil n'y avait pas pensé.

— Entre toujours, qu'on voie.

Il entra et fut emmené dans la cuisine où la maquerelle, vieille poule accomplie et Française de nation, examina le morceau de porc. Il lui parut tout simplement digne de figurer au menu du grand souper qu'elle préparait pour fêter le chef Bigaouette[31], auquel devaient assister un prélat du palais cardinalice, un archidiacre de la High Church, le commandant de la citadelle de Québec, les deux Whips, le Sénateur Lesage[32]

---

31. Adolphe-Stephen Thomas dit Bigaouette (1887-1942), chef de la police de Québec, de 1938 à 1942.

32. Joseph-Arthur Lesage (1880-1950), pourvoyeur de fonds pour le parti libéral, nommé au Sénat en 1944; oncle de Jean Lesage, premier ministre du Québec de 1960 à 1966.

et d'autres hauts dignitaires, sans parler des dames, toutes triées sur le volet. Elle dit à Jean Goupil :

— Marché conclu, mon petit. Monte au premier et tu trouveras Thérésa dans la deuxième chambre à gauche. Thérésa, qui a été formée au couvent de Sillery par les dames de la Congrégation, est la personne toute désignée pour te donner la part qui te revient de cet échange.

Dans ces choses-là, il y a toujours du moins ou du trop. Jean Goupil, pour la première fois de sa vie, fut vraiment favorisé. Thérésa, la curieuse fille, se faisait une délectation d'un puceau. Jean Goupil l'était. Quand il sortit de la deuxième chambre et descendit le grand escalier, non seulement il ne l'était plus, mais encore, en moins de deux heures, Thérésa lui avait donné une éducation qu'il n'oubliera pas du reste de sa vie. Tout rengorgé, content, un peu parti de joie, il descendait donc et la maquerelle l'attendait au pied de l'escalier, curieuse de savoir si, dans son exécution, le marché s'était fait à sa satisfaction. Il pensait à tout, sauf à cette maquerelle. Sa vue le dégourma[33], toute poule accomplie qu'elle fût, connaissant la politesse du monde et les usages du pays, du moins sur le dessus du panier.

— Oui, bien sûr, dit-il avec réticence.

La maquerelle s'attendait à un oui entier. Jean Goupil n'en resta pas là ; il passa au noui, puis au non, justement à cause de cette maquerelle, Française de nation, qui n'était qu'une fausse guidoune, une fausse maquerelle. Quant à la poule, elle s'en souciait bien ! Il ne

---

33. Ôter la gourmette, la chaînette qui fixe le mors dans la bouche du cheval ; au figuré, «jeter sa gourme : se désenrhumer, faire ses premières frasques», rendre moins niais, dégrossir.

rêvait qu'à des poulettes et la vue de cette supposée poule accomplie, bonne pour un prélat, un archidiacre ou un chef de police, les lui gâtait, ces gentilles poulettes. Oui, Jean Goupil se sentait très mécontent. De fait, une question le gênait : que répondrait-il au pape Poulin quand celui-ci lui demanderait ce qu'il avait fait du p'tit quartier de porc, étant donné qu'il n'avait pas réussi à trouver le fameux avocat Ernest Cauchon ?

— Hein, Madame, qu'est-ce que je lui répondrai ?

— Mon pauvre petit garçon, on voit que tu viens tout juste d'arriver au monde ! Viens dans la cuisine, je vais t'écrire un mot, tu le montreras à ton père, à ta mère, au curé, au pape, à qui tu voudras, et tout s'arrangera.

Sur une carte parfumée, la maquerelle écrivit un mot, quatre phrases, mit la carte dans une enveloppe rose et la tendit à Jean Goupil : «Tiens, mon garçon.» Il allait sortir, Thérésa, du haut de l'escalier, lui faisait de jolis signes d'amitié, comme on ne peut en apprendre ailleurs que dans les plus grands couvents. De son fameux mécontentement, plus de trace. Il répondit à Thérésa du mieux qu'il put et s'en alla au plus vite à Saint-Zacharie, au dernier échelon de la rivière Chaudière. La Romaine l'aperçut dans le chemin de montée, sur le point d'arriver. Elle dit au pape Poulin :

— Regarde un peu qui nous revient. Es-tu content ?

— Tiens ! c'est Jean Goupil. Ma foi ! je ne suis pas fâché.

Jean Goupil entra et fit un rapport de son voyage à Québec.

— Et l'avocat, comment l'as-tu trouvé ?

— Je ne l'ai pas trouvé du tout.

— Comment ça?

— Maître Ernest Cauchon gît sous terre, parmi les morts.

— Un avocat comme lui, sous terre, parmi les morts! Il ne sera pas meilleur qu'un autre. Quand on pense, un gueuloir comme le sien!… Mon procès s'annonce déjà moins bien. Il va me falloir prendre le p'tit Cliche, le garçon à Léonce, notre parent à tous par le grand sauvage.

La Romaine demanda :

— Jean Goupil, ton baluchon a les flancs creux : aurait-il vêlé de la pièce de cochon?

Le pape dit :

— Ti-gars, mange un peu, repose-toi. Ensuite, tu iras porter le p'tit quartier de cochon à l'avocat Robert Cliche[34], pas loin de la prison, à Saint-Joseph. Lui, je suis certain qu'il ne gît pas sous terre, parmi les morts : il vient à peine de naître.

— Il m'en faudra donner un autre.

— Comment ça? Et le premier?

Jean Goupil présenta au pape Poulin la carte de la maquerelle. Le pape flaira et trouva qu'elle sentait bon, puis, prétextant qu'il n'avait pas ses lunettes, il la tendit à sa femme, la Romaine, pour qu'elle lui en donnât lecture. La Romaine commença par faire sortir ses enfants de la cuisine, puis elle chuchota à l'oreille du pape Poulin ce qu'elle y avait lu. Sous les yeux horrifiés de sa femme, le pape commença par rire très fort, trop fort, puis à cesser de rire. À ce moment-là,

_____

34. Fils du juge Léonce Cliche, avocat, puis juge, Robert Cliche (1921-1978) était le mari de Madeleine Ferron (1922-2010), sœur de l'auteur.

dans sa bouche hérissée de chicots et dans tous ses intérieurs, il se produisit un grand revirement. Il commença par se tourner vers la Romaine et, d'une voix douce qu'on ne lui connaissait pas, de demander qu'on remette à Jean Goupil son p'tit billet parfumé et l'enveloppe rose, puis, se mettant sur ses grands pieds, aussi grand, aussi fort, aussi terrible qu'un pape mérovingien, il excommunia Jean Goupil sans vaines phrases, d'un seul mot : « Dehouors ! »

Le pauvre orphelin comprit qu'il venait de perdre à jamais le brave homme pittoresque qui, si longtemps, à l'encontre de la municipalité de Saint-Zacharie-les-Hauts et même de sa femme, dite la Romaine, l'avait protégé et considéré pendant de longues années comme son fils préféré. Il prit son baluchon et sortit de la maison. Pendant qu'il s'éloignait tristement, une de ses similisœurs, qui se nommait Tinamer et que, justement, il avait couraillée avec ses grandes mains rouges de la boucherie des Avents, Tinamer vint mettre dans ce baluchon de quoi manger pour quelques jours et lui dit :

— Jean Goupil, va maintenant et n'oublie jamais Tinamer, la fille du pape Poulin, qui, en dépit de sa vilaine mère, la Romaine, t'aime de tout son cœur.

Alors, Jean Goupil, plus malheureux qu'un chien chassé de la maison et plus heureux que le même chien caressé par la plus douce main de cette maison, jura à Tinamer Poulin que jamais de sa vie, dût-elle être éternelle comme le curé Lagueux le prétendait, il ne l'oublierait. La petite, qui commençait à avoir de vaillants petits tétons, revint par les buissons à la maison pendant que Jean Goupil se rendait au presbytère, où il entendait demander des explications au curé

Lagueux, le fils cadet de Lagueux-La-Poche, d'honorée mémoire. La servante du curé le reçut avec hauteur. Il lui demanda pourquoi le bonhomme, père de son bon curé, était à l'origine des Lagueux dits La Poche. Elle le savait, bien entendu, et se demandait, les humeurs aigries, pourquoi son curé ne montait pas la trouver le soir quand ils étaient seuls au presbytère au lieu de se donner la discipline en ahanant pendant qu'elle s'enfonçait les ongles dans ses chairs les plus tendres, entre les deux cuisses.

— Espérez, dit-elle à Jean Goupil.

Le curé Lagueux ne tarda pas à paraître dans l'embrasure de la porte comme un petit saint du bon Dieu.

— Je vous écoute, mon cher enfant.

— Le pape Poulin vient de me chasser de la maison, comme ça, à propos de rien, comme s'il jouissait de l'infaillibilité pontificale.

Le curé Lagueux se fit raconter le voyage de Jean Goupil à Québec.

— Mon pauvre enfant, c'était quasiment un prétexte pour vous éloigner de la maison, vu que vous n'êtes pas loin d'avoir atteint votre grosseur.

— C'était de me le dire. Moi, foi de Jean Goupil, je n'aime pas les biaiseux… À mon retour, je lui ai montré le billet que voici : ce fut comme s'il avait bu du p'tit blanc non réduit, il s'est levé tout drette, les yeux sortis de la tête, et il a crié : «Dehouors!»

Le curé n'avait pas pris connaissance du billet parfumé qu'il fit comme le pape Poulin et chassa Jean Goupil du presbytère. Cependant, il semblait vouloir garder l'enveloppe et le billet.

— Curé Lagueux, vous êtes chanceux que je ne sache pas lire et écrire. Il doit y avoir dans cette lettre de maquerelle, Française de nation, des choses pas mal cochonnes. Je vous prierai, mon Révérend, de me la remettre. Sinon, je ne partirai pas et j'en profiterai pour vous apprendre que la poche de votre vénéré père…

— Tiens! Tiens! la voici. Et maintenant, déguerpis.

Dans le vestibule, la servante lui dit:

— J'ai ajouté des provisions à celles qui se trouvaient dans ton baluchon. Tu en as bien maintenant pour te rendre à Sainte-Anne-de-Beaupré… Mais pourquoi, grand bêta, ne pas lui avoir dit ce qu'il y avait dans la poche de son défunt père?

— Madame, il y avait sa tête, vu qu'il se la cachait ainsi pour traverser la rivière et aller voir une p'tite veuve durant la grand-messe. Celle-ci l'embrassait de bon cœur, vu qu'elle l'avait reconnu par ses grands souliers de beu.

La servante se mit à rire si fort que le curé surgit dans le vestibule.

— Quoi! suppôt de Satan, tu n'es pas encore parti!

— Je disais à Madame votre gouvernante ce qu'il y avait dans la poche de votre défunt père.

— Il y avait, il y avait…

— Une tête, Monsieur le curé.

— Une tête!

— Plus bas étaient les burettes, le saint chrême et le goupillon.

— Imelda, je vous intime de quitter immédiatement ce vestibule.

Le curé Lagueux en partit, claquant la porte.

— Ti-gars, un service en appelle un autre. Si jamais tu revenais à Saint-Zacharie, frappe à la porte de la cuisine ; il te sera rendu intérêts et capital.

Jean Goupil regagna Sertigan, qu'on appelle aussi Saint-Georges, puis Beauceville, anciennement Saint-François. À Saint-Joseph, qui a gardé son nom, comme Sainte-Marie, plus bas, il voulut voir l'avocat Cliche qui avait suivi son gueuloir, ce jour-là, je ne sais où. Il dit à sa femme qui, sous ses dehors de cordialité, pince le nez comme un oiseau rapace et qui certainement est plus méchante que l'avocat, lequel a une bonne trogne, qu'il ne venait pas pour le consulter, mais seulement pour lui parler comme on a bien le droit de le faire entre Beaucerons. La femme de l'avocat, regardant l'heure, conseilla à Jean Goupil de descendre la côte en courant et lui dit qu'il avait grand'chance de trouver, en grand'combine[35], le juge Léonce, dans sa vieille maison, près de l'église, et que ce juge-là devrait lui être de bon conseil, même si le nom de Jean Goupil ne voulait pas dire grand-chose dans la Beauce.

— Pendant cinq ans, j'ai été le pupille, pour ne pas dire l'enfant, du pape Poulin, à Saint-Zacharie, ct de sa femme, la Romaine.

— Dans ce cas, descendez au plus vite.

Ce que fit Jean Goupil. Il trouva le juge Léonce dans sa grand'combine, qui daigna l'écouter, mais refusa de lire, dans son enveloppe rose, le mot de la maquerelle. La servante criait dans la cuisine : « Monsieur le juge, c'est l'heure de mettre votre jaquette et d'aller vous coucher. » Jean Goupil se leva et le juge Léonce Cliche

---

35. Combine : sous-vêtement masculin d'une seule pièce couvrant le corps du cou aux chevilles.

lui dit : « Mon p'tit garçon, le pape Poulin t'a quasiment rendu à ta grosseur. Tu sais qu'il est, malgré ses grandeurs, l'habitant le plus pauvre de Saint-Zacharie. Il l'a fait contre sa femme, la Romaine, qui a la dent noire et disait que tu mangeais le pain dans la bouche de ses propres enfants. Mon p'tit garçon, si tu étais un homme, tu t'en irais gagner ta vie tout simplement. » Le juge alla se coucher et Jean Goupil trouva collation, gîte et déjeuner, grâce à la servante, chez un vieil homme dont les honneurs rejaillirent sur lui et qui, surtout, lui fut de bon conseil.

— Mon garçon, tu es rendu quasiment à ta grosseur. Tâche de gagner ta vie et d'être un homme.

Et puis, il retint que, même s'il n'avait pas reçu grand-chose de ses père et mère, plutôt rien, que, même orphelin, il faisait partie d'un pays tellement simple et chaleureux qu'il valait quasiment une famille. De Saint-Joseph, Jean Goupil continua dans la ville de Québec, où son baluchon bien fourni lui permit de prendre tout le temps voulu pour bien flairer les vents propices. Il vit la belle Thérésa. Elle était tout en larmes et de noir vêtue, revenant des funérailles de sa maquerelle qui, nonobstant sa nationalité française, avait été toute vive dévorée lors de la fête du chef Bigaouette. Malgré la belle éducation qu'elle avait reçue au couvent de Sillery, chez les dames de la Congrégation, dame Thérésa parlait en termes méprisants des hauts dignitaires du pays, disant qu'elle ferait passer avant eux tous les charretiers de la ville de Québec.

— Et leurs chevaux, ajouta-t-elle, leurs chevaux !

Jean Goupil, malgré son baluchon, se trouvait dans une grande gueuserie qui le mettait en troisième, après les chevaux. Il baisa Thérésa à l'avant-bras gauche et s'en alla du bordel de la rue Saint-Vallier, laissant Thérésa tout en pleurs et en regrets, trépignant devant la sous-maquerelle, au pied de l'escalier, lui disant, à cette sous-maquerelle nommée Sally O'Rooke, qui venait de Belfast, en Irlande, que c'était un péché, un péché impardonnable que de n'avoir pas passé Jean Goupil à la casserole, même s'il n'avait pas une gueuse de cenne pour payer le branle-bas et faire tourner la grand'roue du moulin au-dessus du bordel. À part cette visite toute sentimentale, l'orphelin ne fit pas grand-chose pour atteler sa destinée à quatre grands chevaux fringants. La mort de la maquerelle l'empêchait de savoir ce qu'elle avait écrit sur une carte parfumée qu'il gardait dans sa petite enveloppe rose, tout contre son cœur. L'épuisement de ses provisions lui avait ôté tout loisir et le mit, la faim aidant, dans un état voisin de la désespérance. Il alla prier Notre-Dame-des-Victoires et sortit de la vieille chapelle avec un regain de courage. De fait, il trouva un bambou caché sous le billot qui, de six à huit pouces carrés, posé sur le travers, met fin aux quais et peut empêcher la voiture d'un des cultivateurs de la Place Royale de tomber dans le fleuve si d'aventure elle se mettait à rouler par devers lui. Sur ces billots, les rentiers de Québec pêchent l'éperlan et le beau bambou, terminé à sa pointe fine par une ligne agrémentée par une demi-douzaine de petits crocs, était justement l'article pour le faire. Jean Goupil était seul sur le quai. En peu de temps, il prit une cinquantaine de beaux petits poissons dont, après regard jeté à droite, à gauche et en arrière, il mangea une douzaine, crus et encore frétillants, car il avait grand'faim. À peine avait-il avalé tout rond le dernier qu'il aperçut tout contre lui, assis sur une chaise de bois peinte à la suie et calcinée par endroits, un chrétien qui roulait de gros yeux, semblait inquiet et lui parut fâché. C'était Eméry Samuel qui, parti de Cap-Chat, se trouvait rendu en moins d'un instant sur les quais de Québec et que Jean Goupil prenait pour le propriétaire de la canne à pêche. Eméry Samuel dit à haute voix, ne parlant qu'à lui-même:

— Sans la sainte invocation à Joseph, à Jésus et à Marie, je serais encore en l'air et Dieu seul sait où maintenant je serais rendu.

— Monsieur, lui dit Jean Goupil, vous n'êtes donc pas du quartier?

— Mon pauvre petit garçon, il n'y a pas deux instants je faisais le ménage de la salle paroissiale pendant que le curé Godfrey se berçait sur la galerie du presbytère.

Jean Goupil osa demander:

— De quelle salle paroissiale parlez-vous, Monsieur? Il y en a tant par ici.

— Celle de Cap-Chat, parbleu!

Le sacristain Eméry Samuel avait répondu brusquement à l'honnête question d'un brave garçon, dont il avait besoin d'ailleurs pour savoir où il était descendu. De son côté, Jean Goupil commençait à reprendre espoir et à se féliciter d'avoir été prier Notre-Dame-des-Victoires car, dans ces années où l'aviation était laborieuse, les chaises volantes restaient fort recherchées.

— Je serais bien curieux, mon garçon, de savoir où je suis descendu.

Jean Goupil ne répondit pas, trop occupé à sortir l'éperlan dont la race ne semblait guère tenir à l'eau.

— Chez nous, en Gaspésie, c'est le temps de pêcher

la truite qui, descendue des rivières après la débâcle, fainéante le long du plein où les filles et les garçons de ton âge, à la nuit tombée, font de grands feux pour l'attirer, de grands feux dont les braises ne tardent pas à rendre la nuit plus sombre et nos jeunes gens plus frileux. Après la pêche à la truite, ils se retrouvent dans le chemin des larmes.

— Vous parlez bien, vous. Moi, je m'appelle Jean Goupil.

— Que Dieu te bénisse mon garçon. Le nom des Goupil, venus des Bas, ne cesse pas de remonter la Côte. Moi, je me nomme Eméry Samuel ; je suis le sacristain du Révérend curé Godfrey et, sans y être obligé, j'ai prononcé les saints vœux.

Jean Goupil tout aussitôt de penser que c'était du gibier pour la belle et distinguée Thérésa, qui, sous le commandement de Sally O'Rooke, commençait à soupirer. Il dit à Eméry Samuel :

— Comment avez-vous pu descendre dans la sainte ville de Québec sans continuer à Montréal où, dans l'arrière-boutique de la taverne Neptune, j'en connais un, vous savez qui, le diable en personne, qui est d'humeur massacrante depuis qu'il a perdu sa chaise volante ?

— Je vous l'ai dit : j'ai invoqué Jésus, Marie et Joseph et je suis descendu à côté de toi, mon garçon. Tout ce que je veux à présent, c'est d'aller retrouver le curé Godfrey, à Cap-Chat.

— Tu y retourneras, c'est certain, Eméry Samuel. Auparavant, pendant que je vais garder à l'œil ta maudite chaise de maréchal ferrant, prends cette lettre rose et va dans la rue Saint-Vallier, à tel numéro. Là, une grand'rousse du nom de Sally O'Rooke voudra avoir la lettre. Refuse de la lui donner. Dis à haute et claire voix qu'elle est destinée à Mademoiselle Thérésa, formée aux choses de la religion par les dames de la Congrégation. Tu verras alors cette pieuse personne descendre par le grand escalier. Elle ne sera pas vêtue de chrétienne façon, mais n'y porte pas attention : ce n'est que pour te mettre à l'épreuve. Tu la suivras à l'étage dans la chambre numéro deux. Là, elle te fera boire trois verres d'une boisson ambrée qui te semblera forte et corsée. Eméry Samuel, après cette libation, tes trois vœux seront définitifs et, dès ce soir, tu prendras l'*Océan Limité*[36] pour Mont-Joli, de Mont-Joli, le p'tit train pour Matane et, de Matane, l'autobus qui, pour le plus grand bonheur du curé Godfrey et de ses meilleurs paroissiens qui te pensent à jamais perdu, t'amènera au Cap-Chat dès demain soir.

Eméry Samuel dit à Jean Goupil :

— Mon garçon, c'est tout ce que je désire.

Jean Goupil remit l'enveloppe rose à Eméry Samuel qui prit le chemin de la rue Saint-Vallier pendant que le p'tit Jean, confortablement assis dans la chaise de maréchal ferrant, continuait de pêcher l'éperlan. Peu de temps après, la belle Thérésa arriva en calèche sur les quais et dit à Jean Goupil qu'elle avait reconnu la lettre.

— Je t'en remercie de tout cœur, mais le reste, que veux-tu que j'en fasse ?

Jean Goupil tira de l'eau un éperlan.

— Thérésa, sais-tu ce que je veux ? Le porteur, Eméry Samuel, est encore puceau à l'âge de trente-

---

36. Inauguré en 1904, train de passagers du Canadien National reliant Montréal et Halifax.

huit ans. De plus, dès l'âge de dix ans, il a prononcé les trois vœux[37]. Enfin, je l'ai prévenu que tu lui ferais boire les trois verres sans lesquels, malgré toute ta sapience femelle, tu te ferais enguirlander au nom du Père, du Fils et du Oiseau. *Amen*.

— Jean Goupil, cria la belle Thérésa, en sautant dans sa calèche, n'oublie pas que je te suis débitrice de trois nuits d'amour.

Jean Goupil prit un autre éperlan. La calèche avait déjà quitté la Place Royale. Il se dit quant-et-lui: «Je crois bien, mon garçon, que c'en est fini pour toi des années jaunes et de la p'tite misère dans Dorchester et dans la Beauce.» Il mangea encore durant trois jours des éperlans tout ronds après quoi il apprit qu'Eméry Samuel, au lieu de descendre à Cap-Chat, continuait à Montréal pour tenter de voir qui l'on sait. La Thérésa ne l'avait pas trop mal travaillé. Après trois jours, elle se donna le mal de revenir en calèche dans la Place Royale. Elle dit à Jean Goupil:

— Ti-Jean, je n'ai qu'une parole.

Jean Goupil répondit:

— Je comprends que ça n'a pas été trop facile pour toi.

— Ô Vierge et Divinités! s'écria-t-elle, ce n'est pas ce que tu penses: l'animal avait des dispositions comme on n'en voit guère sous nos climats. Et il était si membré, doux Jésus! que je criais grâce rien qu'à le voir se mettre en mouvements!

— Thérésa, voilà plus de trois jours que je ne mange que des éperlans tout crus! Je ne me sens pas en état de relayer le sacristain.

---

37. Chasteté, obéissance et pauvreté.

— Pauvre p'tit garçon! Viens chez Kerhulu[38], je vais te régaler.

Quand elle lui vit monter la vilaine chaise de maréchal ferrant dans la calèche, elle se récria qu'on ne les laisserait jamais entrer dans le beau restaurant de la côte de la Fabrique.

— D'autant plus, ti-gars, que tu as encore ton casque en peaux de lièvres et que tu sens la p'tite bête qui n'a pas couché dans un lit depuis un mois.

— Pour parler franc, Thérésa, de toute ma vie, je n'ai couché qu'une fois dans un vrai lit, et tu faisais un tel branle-bas que j'en ai oublié les draps blancs. Emmène-moi en dehors des murs, chez un p'tit Chinois qui, sans faire de façons, me laissera entrer avec ma chaise et mon suint. Dans un mois quand je reviendrai te chercher, Thérésa, tu me prendras pour le garçon du lieutenant-gouverneur; en tout cas, tu ne me reconnaîtras même pas.

L'idée de Jean Goupil n'était pas malaisée à comprendre; il avait mis la main sur un merveilleux véhicule, sur cette vilaine chaise de maréchal ferrant qui servait de chaise volante et que le diable avait laissée à Cap-Chat, durant les grandes mers, quand il avait été si finement dupé par Jean Goupil, le premier du nom. Il était rentré à Montréal par autobus et par l'*Océan Limité*, et depuis, plus méchant que jamais, sans pitié pour personne, sans le moindre mouvement d'affection ou d'amitié, glacial avec un feu dans le regard qui ne se pouvait guère comprendre et traversait le temps, s'insinuait dans le plus profond des cœurs tel le scin-

---

38. Célèbre restaurant français de Québec, ouvert en 1925, l'un des plus anciens du Canada.

tillement d'un astre mort, il se tenait dans l'arrière-cuisine de la taverne Neptune qu'il ne quittait plus, faisant rouler ses dés pipés avec ennui, décidé à ne plus jamais la quitter. Jour et nuit, Jack O'Rooke, le tavernier, lui demandait : «Ô grand patron! puis-je vous être utile?» et, chaque fois, le diable, sans desserrer les dents pour ne pas lâcher sa rage, répondait : «Non, Jack O'Rooke.»

Le tavernier avait bien une petite idée derrière la tête, une idée qu'il n'osait pas exprimer et que le diable voyait parfaitement. Après deux ou trois semaines, il se décida et dit : «Patron, votre chaise merveilleuse…» et n'alla pas plus loin. Le diable, qui guettait sa question s'était mis à rire rauquement. Le tavernier sentait bouger ses cheveux sur ses tempes, son toupet se coucher à plat sur l'arrière front et, en même temps, tout son crâne être secoué par une haleine si forte qu'il pensa y perdre la tête. Et cet homme de violence chez qui il ne se passait pas une journée sans prise de becs entre coqs subitement pris de colère, sans batterie entre hommes de main de nations ou de bâtiments différents, cet homme qui déjà, sur la potence, avait été gracié, dont tout le monde auparavant avait remarqué le sourire amusé et la tenue nonchalante à tel point qu'on l'avait pensé prévenu alors qu'il n'en était rien, certain d'être pendu haut et court jusqu'à ce que mort s'ensuivît, cet homme eut peur pour la première fois de sa vie. Maintenant, debout près de la table où il s'exerçait aux dés, le diable criait.

— Jack O'Rooke, rouquin parce que tu prends déjà la couleur du feu éternel qui t'attend, pourquoi me parles-tu de cette maudite chaise de maréchal ferrant?

Le tavernier déjà n'avait plus peur. Le diable continua que, s'il en avait besoin, il saurait où la trouver, cette chaise, mais il n'en avait plus aucun besoin.

— Je ne voyage plus, mon cher : finis les courants d'air ! Je ne cours plus le gibier ; il vient prendre une draft[39] chez Maître Jack O'Rooke. Si je veux le voir, je le mande. Maître O'Rooke est un huissier audiencier.

— Ô patron ! êtes-vous satisfait de lui ?

Le diable avait repris place comme à son ordinaire, assis à la table de l'arrière-cuisine de la taverne Neptune.

— Je ne demande pas mieux que de l'être, mais qu'il ne me pose pas de questions stupides ! Cette chaise de maréchal ferrant ne vaut pas le quart d'un écu.

Le tavernier ne dit rien.

— Jack O'Rooke, tu te tais parce que tu crains ma colère. Mais je vois ce que tu penses.

— Ô patron ! c'est une chaise volante.

— Le sait-on à Cap-Chat ? Et à supposer qu'on le sache, penses-tu qu'on en découvre le fonctionnement ? Tout n'est pas de monter, il faut encore redescendre. Et je t'y vois, Jack O'Rooke, sur cette chaise, montant en l'air, montant toujours ; tu en ferais une fameuse sainte Vierge en assomption perpétuelle ! Au bout de dix minutes, tu crierais après l'enfer. Elle te tente, cette chaise ? Eh bien, va la chercher, je ne t'en empêcherai pas. Seulement, il y a longtemps qu'on l'a jetée sur le plein et que la mer l'a emportée.

---

39. En anglais, *draft (draught)* désigne une bière tirée d'un tonneau pour être immédiatement bue ; de nos jours, *bière pression*. En québécois, une *draffe* (graphie plus répandue), c'est aussi un courant d'air.

Le tavernier Jack O'Rooke soutint bravement le regard de Satan, n'ayant plus rien à lui cacher, ou si peu! La chaise, jetée du haut de la falaise sur le plein, s'était certainement brisée et la mer en avait emporté les morceaux… Il avait ajusté sa jarnigoine à celle du diable autant qu'un homme prédisposé, ancien gibier de potence devenu tavernier sans une gueuse de cenne, du jour au lendemain, pouvait y parvenir. L'ajustement était à peu près réussi, pas tout à fait, parce qu'il restait à Jack O'Rooke, malgré ses crimes, malgré son âme noire, un petit quelque chose d'humain, et qu'il le garderait aussi longtemps qu'il ne serait pas damné. Il baisait Satan au derrière, lustrait les deux sabots de son pied de bouc, cela n'empêchait pas le petit résidu, dont il avait honte, de former une fine buée rose, à peine perceptible, à la surface de son âme. Il avait beau faire mirette de ses yeux comme une vieille pédale, cet homme pourtant si dur, le diable parvenait à glisser, dans la chambre noire qu'il avait derrière la pupille, son regard inverse, si fin, si froid, si pénétrant, et à y apercevoir la petite buée au milieu de laquelle flottaient d'infimes parties des morceaux de la chaise de maréchal ferrant qui s'était rompue en tombant sur le plein. Le diable haussait les épaules : cette buée et les impuretés qu'elle contenait n'étaient que l'inévitable résidu d'une âme encore chaude de son animalité première.

— Jack O'Rooke, disait le diable, c'est bien ; je suis content de toi.

— Patron, demandez-moi n'importe quoi, je le ferai.

— Va simplement voir dans la grand'salle ce qui se passe.

Il s'y faisait un tintamarre d'enfer parce que des Malais et des Siciliens, d'un équipage différent, naviguant néanmoins dans deux mauvais cargos arborant tous deux les illustres couleurs de Panama, avaient des choses à se dire, des choses d'autant plus pressantes qu'ils avaient dû laisser leurs armes blanches au vestiaire de la taverne Neptune.

— Patron, des Malais et des Siciliens qui s'engueulent, ça n'a jamais voulu dire grand-chose.

— Ça m'agace.

— Devrais-je leur remettre leurs dagues et leurs couteaux?

— Envoie-moi plutôt les deux maîtres d'équipage, deux Grecs dans le genre turc qui doivent boire leur bière ensemble, tranquillement, en silence, comme deux compatriotes contents de se rencontrer.

Jack O'Rooke entra dans la grand'salle et vint se planter à côté des maîtres d'équipage qui, levant les yeux sur lui, virent à son poil qu'il leur faudrait l'écouter.

— Messieurs les maîtres d'équipage, le patron a deux mots à vous dire. Faites-moi l'honneur de me suivre: il vous attend dans l'arrière-cuisine.

Dans cet endroit les deux maîtres d'équipage trouvèrent le diable debout, à la fois hargneux et glacial. Il fit trois pas vers eux et revint à la table pour y lancer ses dés et s'y asseoir. Ils avaient pu voir son pied de bouc.

— Une partie, Messieurs.

Ils déclinèrent comme bien on pense. Le diable ne parut même pas remarquer leur refus. Dans un excellent grec, meilleur que celui de Monsieur Papachristis[40],

---

40. Prixos B. Papachristidis, mécène, armateur montréalais, propriétaire, entre autres, des navires *Le Québécois* et *Feux-Follets*.

il leur demanda s'ils entendaient le tapage de leurs Malais et de leurs Siciliens.

— Je me plais à goûter, dans toutes ses nuances, la langue qui se parlait jadis à Alexandrie. Il m'y faut une oreille fine. Or, comment voulez-vous que je me parle et que je m'entende dans cette arrière-cuisine, derrière deux portes closes, si vos équipages font tempête dans la grand'salle de la taverne. Cela m'agace d'autant plus que vous n'êtes ni Siciliens ni Malais, Messieurs, mais tous deux Grecs de la meilleure qualité.

— Excellence, commença l'un d'eux…

Le diable ne le laissa pas continuer.

— Messieurs, dit-il, je ne suis rien auprès de vos puissants armateurs, du moins sur l'eau. Sur terre, plus précisément dans cette taverne, j'ai le pouvoir de décider et d'exécuter selon mon bon plaisir… Me comprenez-vous, Messieurs les maîtres d'équipage ?

— Excellence, nous ne demandons pas mieux que de rétablir la paix nécessaire à vos pieux exercices. Par chance, il n'y a de présents que les membres de nos deux équipages. Si votre Excellence avait la bonté de nous permettre d'en user avec le fouet comme nos prédécesseurs sur les galères, elle nous rétablirait dans les avantages qui nous manquent fort aujourd'hui et, par le fait même, goûterait le calme dont elle ne saurait se passer.

— Faites, Messieurs.

La paix fut aussitôt rétablie entre Malais et Siciliens dans la taverne Neptune. Les deux maîtres d'équipage avaient à peine fini de remettre les précieux fouets dans leurs étuis du moyen âge que quelques douzaines de matelots de Liverpool survinrent d'un siècle plus récent et achevèrent de feutrer la paix dans la taverne de leurs droits humanitaires. Jack O'Rooke, au comptoir, fut à même d'apprécier l'efficacité des deux. Il put reconnaître leur disposition complémentaire et le fini que donnait au tout l'accession à ces droits par conditionnement et dressage. À vrai dire, ces méthodes le laissaient indifférent. Quand on est l'âme damnée de Satan, on se soucie peu d'altruisme ; on pense à ses petits intérêts, et Jack O'Rooke, le regard glacial pour le client, d'un bleu qui passait au blanc, profitait de ses séjours derrière le comptoir, dans la taverne, pour considérer, en renverse, la buée et les débris de la chaise volante. Il lui arrivait même de douter qu'elle eût été jetée de la falaise sur le plein. Sans se mettre à sa recherche, il restait aux aguets de tout indice venant des Bas, comme par distraction, se gardant bien d'en faire cas, car le diable l'aurait aussitôt noté. Or, celui-ci, plus que quiconque, avait son amour-propre, bel anthracite d'où émanaient des luminosités lucifériennes, et ne pouvait pas seulement admettre qu'à Cap-Chat il avait été dupé et bafoué. De sa chaise de maréchal ferrant, il ne voulait plus entendre parler parce qu'elle s'était rendue coupable, pauvre vieille chaise de bois, peinte à la suie, calcinée par endroits, de l'y avoir porté. S'il était revenu sans elle, ce n'était pas pour que ce troupeau de paroissiens, comme du bétail ruminant la moindre phrase du curé Godfrey, apprennent à se servir de ses propriétés magiques. D'ailleurs, l'eussent-ils pu qu'ils n'en auraient rien fait, croyant que leur religion le leur défendait. Cette maudite chaise de maréchal ferrant avait été jetée sur le plein, emportée par la mer ; le diable en avait fait un dogme de foi auquel il fallait croire absolument.

Jean Goupil n'était pas au courant de ce dogme. Autrement il en aurait pris plus à son aise avec ce précieux véhicule dont il entendait faire fortune. Par malheur — ou plutôt par bonheur, parce que la méfiance lui compliqua l'esprit que, jusque-là, il avait gardé un peu trop simplet — il croyait que le diable volé n'aurait pas de cesse qu'il ne mît la main au collet de son voleur. Et Jean Goupil avait beau prier les anges et les saints, ses dévotions ne le rassuraient pas, surtout après la nuit tombée, quand il croyait deviner du gripette[41] dans chaque bouquet d'ombre. Il jugeait de Satan par soi-même : parce que la chaise de maréchal ferrant lui était un trésor, il tenait qu'elle le fût pour Satan, ignorant qu'il avait d'autre fortune et qu'il n'avait plus aucun besoin de cette chaise, devenu hargneux et sédentaire. Ce qu'il en savait faisait, au contraire de ce tout-puissant après le Tout-Puissant, une créature déliée, toute de vivacité, intelligente, toute de finesse, et il fallait vraiment que le pape Poulin l'eût marqué de sa témérité pour qu'il n'hésitât pas à tenir tête à ce tout-puissant après le Tout-Puissant, au prince de la nuit, à l'archange déchu, au diable en personne. S'il ne le rencontra pas, ça, c'est une autre affaire. Et l'on finira par dire, dans les contes qui en rajoutent au conte original, que ce fut le diable qui se défila.

Son dogme l'empêcha de voir la vérité. La venue d'Eméry Samuel aurait dû la lui faire appréhender, à tout le moins lui apprendre que la chaise du maréchal ferrant n'était plus dans la mer, n'était plus à Cap-Chat, qu'elle se trouvait entre les mains d'un garçon du nom de Jean Goupil. C'était en 1939. L'argent avait la valeur

---

41. Plus fréquent, *grippette*, diablotin, figure du démon.

de l'or. Pour un bock de bière et le droit de se réchauffer une heure ou deux dans sa taverne, Jack O'Rooke avait des informateurs dans les places publiques, des provocateurs dans les assemblées de chômeurs, tous ribauds qui faisaient de lui un grand ami du roi d'Angleterre et du Canada, et un abonné précieux de deux ou trois polices concurrentes. La plus puissante était la Gendarmerie royale, avec qui il traitait par l'entremise d'un jeune faisan du nom de Léonard Higgit[42]. Dans tout ce trafic, il n'oubliait pas son premier patron et avait des rabatteurs dans les quatre gares de la ville pour lui choisir le gibier ingénu et provincial dont il raffolait. Un soir, Jack O'Rooke se trouvait dans l'arrière-cuisine, un de ces rabatteurs, le Do Boulé, se crut autorisé à l'y rejoindre. C'était un grand faraud de Petite-Vallée, où les plus forts de parents sont des boulés[43] dans le même sens que dans *La Chartreuse de Parme*[44]. S'il se croyait permis d'entrer dans l'arrière-cuisine au lieu d'attendre que Jack O'Rooke en sorte, c'est qu'il se pensait assez fort pour intéresser le patron lui-même. Après avoir salué le tavernier du doigt, comme s'il n'était qu'un égal, sinon un subalterne, il s'adressa au diable qui, pour garder contenance, faisait rouler ses dés pipés sur la table :

— Patron, dit le Do Boulé, j'ai une nouvelle pour vous, ce qui s'appelle une nouvelle.

---

42. William *Leonard Higgitt*, commissaire de la GRC de 1969 à 1973 ; responsable des opérations de police contre le Front de libération du Québec, lors de la crise d'Octobre, en 1970.

43. Des fiers-à-bras, des hommes forts qui font la loi ; de l'anglais *bully*. On dit aussi, un *beu* (de *bœuf*).

44. Stendhal utilise les termes *bulo* (singulier) et *buli* (pluriel, quatre occurrences). Il en donne deux définitions : « sorte de fier-à-bras subalterne » et « sorte de coupe-jarrets ».

— Ah, oui ? fit le diable.

Jack O'Rooke voulut s'interposer.

— Toi, ta gueule, maudit Irlandais, ou bien les boulés de Petite-Vallée monteront, l'un chacun après l'autre, pour te casser une dent. À la fin, tu n'en auras plus pantoute et l'on t'appellera la mémère du Guiâbe. Et puis, veux-tu savoir une chose, Jack O'Rooke ? Ta place n'est pas ici, à la taverne Neptune.

— Où est-elle, le Do Boulé ? demanda Jack O'Rooke.

— Elle est dans les postes de police, avec tous tes pareils, ces faux frères, les Irlandais.

Jack O'Rooke s'élança sur le Do Boulé qui, sans avoir la force de ses parents les plus réputés, avait de bons petits tours dans son sac ; il se retira un peu, avança une jambe, et le tavernier s'aplatit de tout son long devant son patron, le diable.

— Que fais-tu là, mon Jack ? As-tu vu une punaise ou une puce ?

Jack O'Rooke se releva sans desserrer les dents, puis, dignement, voulut s'en retourner dans la taverne.

— Jack, tu pourrais au moins être poli et répondre aux questions qu'on te pose.

— Patron, je n'ai qu'une réponse à vous faire : quand les frogs[45] sortent de l'eau, attention aux Cannocs[46] : ils sont déjà partout.

— Jack, ce n'est pas une réponse pour moi. Mais je te donne un conseil : ne va pas le gaspiller, c'est une

---

45. C'est-à-dire, les *grenouilles,* désignation méprisante pour *Canadiens français.*

46. Transcription ferronienne de l'anglais *Canuck,* à l'origine un personnage symbolisant le Canada. Utilisé ultérieurement, de façon péjorative, par les Canadiens anglais et les Étatsuniens, pour désigner les Canadiens français. La graphie *canoque* est plus fréquente.

jocke[47] à la mesure de ton petit ami Léonard Higgit. Il l'apprendra par cœur pour le grand jour.

— Quel grand jour? demanda le tavernier, maussade.

— Le jour où il deviendra surintendant de la Gendarmerie.

Jack O'Rooke sortit de l'arrière-cuisine.

— Attention, mon Do, c'est une jambette qu'il te revaudra, tu peux être certain, et par en arrière plutôt que par en avant.

— Patron, on encaisse quand il le faut. En attendant de pouvoir remettre.

— Et quelle nouvelle avais-tu donc, le Do, pour passer par-dessus la tête de Jack O'Rooke?

— Vous appelez ça passer par-dessus la tête quand il était efflanqué devant vous, Patron, comme la peau d'un grand veau rouge?

— Quelle nouvelle voulais-tu m'apprendre?

— Le sacristain du curé Godfrey vient d'arriver.

— En chaise volante, mon Do?

Le diable posa la question comme s'il en avait voulu rire. Non seulement il ne riait pas, mais il grinçait des dents de la plus horrible façon. Le Do Boulé comprit aussitôt qu'il n'était pas porteur de bonne nouvelle auprès du diable et qu'il aurait pu en attendre une autre pour passer par-dessus la tête de Jack O'Rooke.

— En chaise volante? Non, ce n'était pas assez bien pour lui. Il est arrivé en Pullman[48], à la gare Windsor, habillé comme un Anglais et fumant des cigares.

---

47. Transcription approximative de *joke, plaisanterie, farce.*
48. Du nom de l'inventeur américain des premiers wagons-lits modernes, fort luxueux, George Mortimer Pullman (1831-1897).

Le diable eut un faible sourire.

— J'ai comme l'impression que j'aurai quelque plaisir à lui donner audience, à Monsieur Eméry Samuel, de Cap-Chat.

— Patron, j'ai l'impression qu'on pourra vous l'amener.

— Va, mon Do… En passant par la taverne, arrange donc ça avec Jack O'Rooke. J'ai comme l'impression que, pour un an ou deux, il restera plus fort que toi.

— Patron, vous avez sûrement raison, car j'ai la même impression que vous. Merci pour le conseil. Le temps d'obtenir un délai du beau Jack, je vous amène le sacristain.

Un cousin du Do se trouvait par adon dans la taverne, justement un des vrais boulés qui ont fait la réputation de cette famille Boulé de Petite-Vallée et de Pointe-à-la-Frégate. Il venait d'arriver à Montréal sur une p'tite goélette de Matane. Le Do s'empressa de le présenter à Jack O'Rooke, puis, s'assoyant au comptoir, en face du tavernier, il se rappela à l'attention de celui-ci.

— Hé! Jack, tu ne peux pas me regarder ?

— On peut toujours essayer, le Do Boulé.

— Jack O'Rooke, tu n'es plus un mousse pour rester barré par une jambette mal venue, que je regrette et que tu devrais oublier, car nous avons plus d'avantages à nous liguer qu'à nous combattre.

— Qui a commencé ?

— C'est moi, j'ai eu tort. Écoute, Jack, le patron ne semble pas tenir beaucoup à une vilaine chaise de maréchal ferrant. Et il faut bien que tu fasses comme lui.

— Que je fasse quoi, le Do ?

— Que tu fasses semblant de ne pas y tenir plus que lui. C'est lui qui zigonne le violon ici et tu dois giguer sur sa musique, Jack O'Rooke. Gigue de ton mieux, laissons passer le temps.

— Parle plus bas, le Do. Il ne zigonne pas bien fort et pourrait nous entendre.

— Quand je l'aurai retracée, cette vilaine chaise, je t'en reparlerai… Ça te va, Jack O'Rooke?

Le tavernier, sans émettre un son, acquiesça de la tête. Et il regardait le Do Boulé avec un grand air sérieux par lequel il semblait insister. En lui-même, pour l'accentuer, il se disait: «Quand tu l'auras retracée, bien cher ami, tu ne vaudras pas plus cher qu'un macchabée dans sa peau.» Les deux hommes, trop délicats pour se serrer la main par-dessus le comptoir, se retrouvèrent près de la porte de la taverne. Là ils se palpèrent les muscles du bras et se firent des mamours comme deux matous puissants et débonnaires, puis le Do Boulé sortit pour aller chercher l'ancien sacristain du curé Godfrey.

Lorsqu'Eméry Samuel fut assis en face du diable, dans l'arrière-cuisine de la taverne, il se pencha au-dessus de la petite table pour mieux examiner son interlocuteur.

— Eh bien, comment me trouves-tu?

— Monsieur le Diable, vous avez peut-être de beaux yeux, mais ils viennent assez mal avec le reste. Pour parler franc, vous êtes laid.

— Merci.

— Si, de plus, vous n'êtes pas intelligent. Alors, bonjour, finie la damnation pour moi: je retourne à Cap-Chat, benêt comme devant, auprès du curé Godfrey.

Le diable dit à Eméry Samuel:

— Avec tes bons gros yeux de myope, tu n'as pas vilain visage. Il paraît qu'il y en a une, en tout cas, qui ne s'est pas ennuyée auprès de toi, à Québec.

— Ah, la chère Thérésa, la brave et courageuse fille des dames de la Congrégation! Elle était si triste, si souffrante, que je n'ai pas pu m'empêcher de la consoler en dépit de mes vœux. Ensuite, c'est elle qui m'a dit de venir à Montréal pour faire le bonheur de l'humanité.

— Eméry, comment étais-tu monté de Cap-Chat à Québec?

— Écoute, Diable, tu n'es pas pour me faire dire ce que tu sais. La seule chose qui m'importe, c'est d'apprendre, de m'instruire, de devenir digne de la mission que Thérésa m'a confiée.

— En quoi puis-je t'être utile, Eméry Samuel?

— Vous en savez plus que moi, Monsieur le Diable.

Le diable répondit:

— Dans la grande ville de Montréal, je ne suis pas seul à en savoir plus long que toi. Leur science est attestée sur un parchemin. Pourquoi commencer par moi? Il fallait le faire par tous ces licenciés et par tous ces docteurs.

— Est-ce que je les connais? Je n'ai pas leur adresse. Thérésa n'a jamais prétendu que je pouvais me fier à vous, Monsieur le Diable. Vous êtes le Malin, celui qui ne prend rien au sérieux, qui se joue de tout. «Eméry Samuel, m'a-t-elle dit, n'écoute pas ce qu'il dit; il prendrait plaisir à t'embrouiller les esprits.»

— Alors, que puis-je faire pour vous, Monsieur le sacristain?

— Monsieur le Diable, vous n'auriez pas votre pareil pour savoir qui est intelligent. Où irais-je pour apprendre? Vous seul pouvez m'orienter.

Le diable fit rouler ses dés.

— Une petite partie?

— Non, grand merci, je n'ai rien à perdre et vos dés sont pipés.

Le diable envoya Eméry Samuel à l'Université populaire[49], où il ne tarda guère à se distinguer. Marx, Lénine et Staline furent ses prophètes. Sa verve gaspésienne s'en trouva fécondée ; elle prit des accents nouveaux et inquiétants. Dans les arrière-cours et les ruelles du vieux Montréal, un tribun communiste se faisait peu à peu une renommée parce qu'il avait la voix du pays. Quand son nom fut mentionné dans les journaux, le curé Godfrey ne pensa pas un seul instant à son ancien sacristain.

— Sans doute un cousin de mon pauvre Eméry, un de ces Samuel qui sont si nombreux à Rivière-au-Renard.

Le curé Godfrey lisait son nom sans déplaisir, car on lui avait souvent parlé de l'émeute qui eut lieu dans ce grand village de pêche en 1909. Les pêcheurs s'étaient révoltés contre les marchands jersiais, trop fins pour lever la main contre eux, laissant à leurs flows le soin de les houspiller, voire de leur donner à goûter à la hart rouge, quand ils rentraient chez eux du magasin. La troupe de sa Majesté ne trouva personne à appréhender[50]. Le curé Morris lui-même, de

---

49. Allusion probable à l'Université *ouvrière* fondée en 1925, à Montréal, par Albert Saint-Martin (1865-1947), militant ouvrier et socialiste. Sous les pressions du gouvernement de Duplessis et de l'Église, elle ferma ses portes en 1935.

50. En réalité, après des affrontements violents entre les pêcheurs et les marchands, le gouvernement fédéral envoya deux navires de la marine pour réprimer l'émeute. Vingt-deux pêcheurs

la galerie du presbytère, n'avait eu connaissance de rien.

— C'est sans doute un rejeton de l'émeute de 1909, se disait le curé Godfrey, un p'tit flow devenu un homme à qui le chômage et la Crise ont redonné sa hart rouge.

Le curé, sympathique à Eméry Samuel, ne se laissait guère impressionner par son communisme.

— C'est ta hart rouge, mon petit flow : travaille-leur le chignon du cou, ils finiront par crier de mal et de peur, les descendants des Jersiais.

La condamnation des évêques et du Révérend Père Papin[51] ne le déconcertait pas. Ces nobles dignitaires ne faisaient-ils pas comme le curé Morris qui, de sa galerie, ne voyait rien et, le dimanche, en chaire, dénonçait la discorde en faisant la moue et d'un air d'ennui qui jamais ne trompa ses paroissiens de la Rivière-au-Renard.

---

furent arrêtés, jugés et condamnés à des peines de prison de huit à onze mois.

51. Joseph-Papin Archambault (1880-1966), jésuite, directeur de l'École sociale populaire. En 1920, il fonda les Semaines sociales du Canada pour faire la promotion de la doctrine sociale de l'Église et combattre l'influence du communisme.

III

S'IL N'Y AVAIT EU qu'un Jean Goupil, le premier, celui qui naquit à Rivière-Blanche et mourut à Cap-Chat en dupant le diable comme celui-ci ne l'avait jamais été dans toute l'histoire des temps, on écrirait sa vie comme un conte, prenant à la réalité des faits qui ne serviraient qu'à la transcender, gardant avec la chronologie, somme toute assez vaine, ses distances; mais qu'un deuxième Jean Goupil survienne, ces distances s'atténuent, car la chronologie a pris une autre fin: celle de distinguer le premier du deuxième et d'empêcher la confusion de celui-ci avec un troisième, dans l'éventualité de celui-là — ou de celle-là qui se nommerait alors Jean Goupille. On se trouve à changer de genre, à passer du conte à la chronique qui, tout en pouvant rester enguirlandée de fantaisie et assortie de sortilèges, doit s'inscrire dans une époque, entre telle et telle année de l'ère chrétienne.

Le second Jean Goupil descendit des hauteurs de la rivière Chaudière en 1938 et devint sénateur onze ans après, en 1949. Ensuite il vécut encore longtemps. Il était en vie, qu'on le croyait mort, et mort, qu'on le croyait encore en vie. Cela ne lui faisait ni froid ni chaud puisqu'il était sénateur ou trépassé. Je serais dans l'embarras de dire s'il est encore de ce monde. Cela n'a d'ailleurs aucune importance. Sa prodigieuse carrière d'enfant abandonné, de pauvre enfant taillé sur l'épinette, qui fut bien près de mourir en la Crèche de Saint-Vincent-de-Paul et que Messire Louis-Marie Doyon avait sauvé à son insu, lequel sera toujours plus développé que ses connaissances, qui d'ailleurs savait si peu, ni lire ni écrire, chanceux qu'on n'ait pas fixé le chiffre de son quotient intellectuel, encore plus chanceux qu'on entre au Sénat sans examens ; sa prodigieuse carrière qui, en dépit de sa faiblesse d'esprit, le hissa au niveau de la plus haute dignité canadienne, fut vite troussée, en cet espacement d'onze années. Je m'en contenterai, n'ayant rien d'autre à raconter pour l'édification des peuples de mon pays.

Il s'en trouvera peut-être pour minimiser cette carrière de Jean Goupil, le second, en prétendant qu'il fut chanceux, ô les sottes gens que voilà, d'une niaise instruction et d'aucune lecture, d'ailleurs inconséquents, tous badauds d'une loterie ! Que mon mépris pour eux soit clairement signifié : qu'il retombe sur eux et les fasse rentrer sous terre d'où ils n'auraient jamais dû sortir, ces lombrics ! S'ils avaient lu Stendhal, ils auraient appris d'un de ses personnages, de la belle et noble Mathilde de la Mole, qu'il n'y a que la peine capitale qui permette à un homme de se distinguer d'entre les autres hommes[52]. Ce grand écrivain a vécu dans un siècle cruel. Depuis, le climat s'est adouci ; la

---

52. Dans *Le rouge et le noir*, Mathilde de la Mole conserve la tête de Julien Sorel, son amant guillotiné, pendant trois jours, avant de mourir.

chance, fille des dieux revenus à leur bénignité naturelle, corrige les inégalités du sort et permet à quiconque, par une injustice librement consentie, de se distinguer sans passer par l'échafaud.

Jean Goupil eut donc le bonheur de mettre la main sur un meuble précieux qui ne payait pas d'apparence, sur cette vilaine chaise de maréchal ferrant que le diable, dans son désarroi, avait abandonnée à Cap-Chat. Ce véhicule volant ne l'aurait jamais mené au Sénat s'il n'avait pas réussi à le dompter et à le domestiquer. Tel qu'Eméry Samuel le lui laissa sur le quai de la Place Royale, à Québec, il n'en savait pas grand-chose, qu'il s'agissait de s'y asseoir pour monter dans le ciel à toute vitesse et d'invoquer la Sainte Famille pour redescendre, mais il ignorait comment l'utiliser pour se rendre à l'endroit voulu et s'il pouvait s'adjoindre un compagnon ou une compagne pour voyager à deux, comme il y comptait pour faire fortune. Ça, il l'apprit par lui-même, bravement, avec témérité, en ne demandant le concours de personne à l'exception de Tinamer, la fille du pape Poulin.

Certes, la noble ville de Québec lui avait été propice. Néanmoins, Jean Goupil ne s'y sentait pas encore chez lui. Son pays restait la p'tite terre du pape, près du coteau au-delà duquel on pouvait pisser dans les États-Unis, à Saint-Zacharie-de-Dorchester. Et la personne du sexe, vers qui cheminaient sa pensée galante, ses rêves masculins, n'était pas celle qui l'avait dépucelé, la si fougueuse et si distinguée Thérésa, formée à Dieu par les dames de la Congrégation, dans leur couvent de Sillery, pour venir en aide à l'humanité souffrante ; cette Thérésa, il l'aimait comme une mère qui, en l'espace de deux heures, lui avait redonné les cinq années qu'orphelin il avait perdues; il n'osait plus penser à elle avec convoitise. De la Romaine, ne parlons pas, qui l'avait toujours rejeté; maintenant, c'est lui qui la rejetait, du moins de son esprit. La seule personne à laquelle il rêvait avec complaisance, c'était la petite Tinamer, qui lui avait empli son baluchon à son deuxième départ de Saint-Zacharie, cette fois sans retour possible, excommunié, et dit des mots confus dont elle ne comprenait pas encore le sens, des mots de cœur, des mots d'amour.

Après le coucher du soleil, Jean Goupil apporta sa chaise de maréchal ferrant sur les plaines d'Abraham. Il se tenait loin des buissons et des bosquets, où la nuit s'était déjà installée. Dans les espacements à découvert du parc, il faisait encore demi-jour. Jean Goupil n'y aperçut personne et prit place sur sa chaise qui, tout aussitôt, monta dans le ciel encore clair. Des buissons et des bosquets, nombreux furent les amants qui virent cet étrange véhicule en son ascension. Ils se gardèrent bien d'en parler à leurs compagnes, de peur de les distraire dans leur jubilation, et les amantes firent de même, de sorte que Jean Goupil partit pour Saint-Zacharie le plus discrètement du monde, sinon à l'insu de tous. La veille, il avait rêvé d'oiseaux. Installé sur sa chaise, il dit à celle-ci :

— Chaise, mène-moi chez le pape Poulin, en arrière de l'étable.

La chaise magique l'emporta vers le Sud et dépassa son but, car Jean Goupil avait oublié l'invocation à la Sainte Famille qui l'aurait obligée à descendre. La nuit au-dessus de lui s'était fermée. Bientôt, en bas, il aperçut les lueurs phosphorescentes qui émanaient de la mer des Caraïbes. Au milieu de ces lueurs, endormies dans des nacelles plus sombres, des milliers d'îles voguaient. Il entendait le bruit des flots qui se rompaient contre elles; il percevait l'odeur sucrée des Antilles. Sans la pensée de Tinamer, la fille du pape Poulin et de la Romaine, il se serait laissé confondre dans une immense griserie. Sur le point de se perdre, Jean Goupil se reprit aussitôt: à sa vilaine chaise de maréchal ferrant qui, dans l'air, volait avec la douceur des plus beaux rêves, il ordonna au nom de Jésus, de Marie et de Joseph de se poser à la place qu'il avait désignée. Immédiatement, il se trouva en arrière de l'étable du pape Poulin, près du tas de fumier, en humant l'odeur avec délectation et sans ce trouble nouveau que lui avait causé celle des Antilles, si prenante et néanmoins si fade en dessous du sucré. Cette odeur de fumier de vache et de chevaux, à la fois aigrelette et puissante, était ce qu'il y a de plus franc, de plus complet, de plus fort et de plus suave au nez de l'homme, du moins à celui de Jean Goupil qui, après s'en être imprégné naguère au point de ne la plus percevoir, s'en était détaché et la percevait enfin.

Les effluves les plus âcres lui arrivèrent les derniers. En même temps, des bruits de voix lui parvenaient, faits de rires et de babils, où il n'entendit distinctement que les cris de la Romaine. Le temps était d'une douceur exceptionnelle. Les portes de la maison n'avaient pas été fermées. Le pape Poulin était déjà au lit; il attendait sa femme et celle-ci faisait le ravaud[53], ne croyant pas avoir le droit de l'y rejoindre sans avoir obtenu le silence et l'attention de tous ses enfants. Quand les lumières furent éteintes et que, sous la

_____

53. *Tapage, bruit.*

verve du pape Poulin, la Romaine eut commencé à geindre et à se lamenter, Jean Goupil se glissa dans la maison et monta dans la chambre des filles, où il trouva aisément le lit de Tinamer. Elle se tenait immobile dans l'ombre, les yeux grands ouverts. Il lui glissa à l'oreille :

— Voilà, pour toi, je suis revenu, Tinamer Poulin.

Elle resta un moment interdite.

— M'entends-tu, Tinamer ?

— Serais-tu devenu fou, Jean Goupil ? La Romaine est dans ses lamentations. Écoute-la un peu. Elle doit nous attendre au pied de l'escalier.

Jean Goupil ne pouvait pas lui expliquer qu'elle était au lit avec le pape, dans la chambre d'en bas, et que, pour rien au monde, elle n'en serait sortie.

— Tinamer, serais-tu devenue la fifille à la Romaine ? Ne t'occupe pas d'elle, lève-toi et viens me rejoindre en arrière de l'étable.

Ce que fit Tinamer parce qu'elle était brave et gentille, mais avec beaucoup moins de hardiesse qu'après l'excommunication de Jean Goupil, lorsqu'elle avait, prompte à suivre son cœur, l'initiative de la démarche. Ce n'était plus elle qui menait le jeu. Elle dit à Rose-Aimée, sa p'tite sœur, avec qui elle couchait : «Rose-Aimée, je m'en vais prendre l'air. Tu dors et tu diras à la Romaine, si demain elle t'interrogeait, que tu dormais. M'entends-tu, Rose-Aimée ?»

— Tinamer, tu parles, je ne t'entends pas : je suis déjà endormie.

Tinamer Poulin se coula en bas de l'escalier sans faire plus de bruit qu'une chatte. Sur le pas de la porte, elle reprit son souffle, tout en comprenant pour la première fois que la Romaine, sa mère, menait son ravaud du mitan du lit, dans la chambre d'en bas, et qu'elle s'y trouvait bien mise, bien retenue. Puis elle courut en arrière de l'étable. Jean Goupil l'attendait derrière sa vilaine chaise de maréchal ferrant. Son sentiment pour sa sœurette, la fille du seul homme qui lui avait servi de père, le pape Poulin, n'allait pas jusqu'à l'entier; il lui laissait dans la tête une petite idée, celle d'expérimenter son véhicule et d'y faire asseoir Tinamer, tout en se tenant debout derrière elle, sur le dernier barreau, tel un laquais. En arrière de l'étable, il faisait plus noir que dans la gueule du loup. Tinamer Poulin n'y voyait pas Jean Goupil.

— Jean Goupil, où es-tu?

— Je suis ici, Tinamer, tout près de toi.

— Je crois te voir… Mais que tiens-tu donc de par devant toi?

— Une chaise magique, ô Tinamer! ma sœurette, toi, la plus jolie fille du pape Poulin qui règne sur les dernières hauteurs de la rivière Chaudière. Approche, approche encore de plus près, assieds-toi sur cette chaise et nous irons ensemble dans l'île du miel et de l'amour.

Tinamer, à tâtons, trouva le dossier et le siège de la chaise, et, n'en pouvant plus, se laissa tomber sur elle. Tout aussitôt, il lui sembla qu'elle était au septième ciel.

— Jean Goupil, où es-tu?

— Tinamer, ne sens-tu pas mes mains sur tes épaules? Je me tiens à toi.

Tinamer Poulin, la fille du pape et de la Romaine, se mit à pleurer.

— Ô Jean Goupil! ô Jeannot, mon frère! Je t'en supplie: ne me laisse jamais tomber.

Jean Goupil invoquait justement la Sainte Famille et ordonnait à son véhicule de se poser sur la plus longue des nacelles qui voguaient parmi les eaux phosphorescentes de la mer des Caraïbes; il ne répondit donc pas à la prière de Tinamer. La chaise se posa parmi les fleurs et les fruits sur la plus grande et la plus belle des Antilles.

— Jean Goupil, tu n'as pas répondu à ma supplique!

— As-tu parlé, Tinamer?

— Je t'ai demandé de ne jamais me laisser tomber.

— Tu m'en demandes trop, ma pauvre petite fille.

Alors, Tinamer se précipita en bas de la chaise, croyant tomber du ciel. Elle se retrouva parmi les herbes parfumées, dans une clairière de l'île qui était bordée d'arbres chargés de fruits dont elle n'avait jamais mangé.

— Ô Jeannot, méchant goupil! Tu te ris de moi, qui ne suis qu'une pauvre et humble fille!

Jean Goupil était allongé près d'elle. Il lui dit:

— Ô Tinamer! Tu sais bien que je ne te laisserai jamais tomber.

Tinamer Poulin n'était qu'à demi consolée. Il lui dit, avec tout le sérieux de son âge, qui est le plus sérieux de tous les âges car, à cet âge-là, on n'a pas encore été entamé par les difficultés de la vie, on croit avec ingénuité à sa toute puissance, du moins à ce qu'on dit, Jean Goupil lui dit donc:

— Tinamer, si tu tombes, je tomberai avec toi. Et si jamais je devenais un grand et fort Monsieur dans le pays, portant le chapeau de castor durant l'été, la pelisse de chat sauvage et la ceinture fléchée durant l'hiver, sache que je n'aurai qu'une dame vêtue des plus plaisants atours et qu'elle portera ton nom, ô Tinamer! le plus beau nom du monde.

— Jean Goupil, je ne suis qu'une rien-du-tout. Je n'ai que des petits tétons pointus tandis que la Romaine a de grandes mamelles qui lui tombent sur les cuisses. Non, je ne te ferai pas honte... Jean Goupil, je ne sais pas où tu m'as emmenée. Ça ne me fait rien du tout à l'exception des commodités: je suis tout contre toi comme dans le mitan d'un lit. Va, mon pauvre Jean, prends tout de moi ce que je pourrai te donner. Va, ne te prive pas, je te l'offre de bon cœur. Ensuite ramène-moi à Saint-Zacharie et ne viens plus jamais me voir.

Jean Goupil aima Tinamer Poulin dans cette clairière entourée de fruits mûrs. Ils firent l'un pour l'autre de leur mieux. Ensuite, Jean alla cueillir des fruits pour elle: les uns, acides; les autres, sucrés et un peu fades, des fruits qu'elle mangeait pour la première fois, dont elle n'avait même pas eu l'idée avant d'y croquer. Quand elle eut fini le dernier, elle dit à Jean Goupil:

— Jean, mon pauvre Jean, je crois qu'il est maintenant le temps de rentrer.

Jean Goupil dit:

— Ah, oui! Pour que tu te jettes du haut du ciel!

— Jean Goupil, grâce à toi, j'aurai connu le bonheur.

Alors Jean Goupil se fâcha.

— Tinamer Poulin, je t'ai choisie d'entre toutes les femmes. Sache que tu seras ma dame jusqu'à la fin de mes jours et que tu me feras l'honneur de bien vouloir porter mon nom... Maintenant, embarque dans ma voiture.

En arrière de l'étable, ils échangèrent encore quelques mots. D'abord, Jean Goupil conseilla à sa fiancée d'aller finir la nuit sur la tasserie de foin.

— Tu diras que dans la maison tu avais des étouffe-
ments.

Il l'aida à monter sur la tasserie, ensuite, il dit à
Tinamer que, s'il lui avait juré sa foi de faire d'elle une
grande dame, il lui faudrait attendre qu'il soit devenu
lui-même un gros Monsieur :

— Avec ma chaise magique, cela ne devrait pas
tarder, mais il faudra peut-être attendre un peu.
Tinamer, je t'ai juré ma foi, jure-moi la tienne et, quoi
qu'il advienne, garde toujours confiance en moi.

Un petit coq de misère chantait déjà matines sur
une pagée[54] grise. Tinamer Poulin jura sa foi à Jean
Goupil qui, pendant qu'elle s'endormait sur la tasserie
de foin, continuait à Québec, assis sur sa chaise de
maréchal ferrant, qu'il avait domestiquée et dont il
pouvait se servir pour aller désormais où il voulait. Sa
fortune n'était pas faite pour autant, car il ne savait pas
encore à qui la louer. De plus, il risquait de la voir
confisquer par Satan dont elle restait la propriété. Jean
Goupil se faisait d'autant plus de souci qu'il venait de
jurer à Tinamer Poulin, fille du pape et de la Romaine,
d'en faire une des grandes dames de son pays.

Après avoir atterri sur les plaines d'Abraham, il descendait la Grande-Allée vers la rue Saint-Louis quand
il rencontra un bonhomme, avec de vilains petits yeux
de cochon et le menton en galoche, qui parlait tout
seul et gesticulait comme s'il avait tenu, avec un citoyen
invisible, une conversation animée. Jean Goupil, qui
traînait sa vilaine chaise de maréchal ferrant, fut saisi
par la vue de cet énergumène, croyant qu'il parlait avec
le diable. Celui-ci n'allait pas manquer de récupérer

---

54. Section d'une clôture entre deux pieux.

son véhicule. Voilà ce que Jean Goupil pensa. Le bonhomme arrivait sur lui : il était trop tard pour changer
de trottoir.

— Mon pauvre monsieur, dit-il, que vous arrive-t-il
donc par cette heure de grand matin ?

— Justement, mon garçon, il est trop tôt pour mon
compte : je voudrais rassembler les Taschereau[55], les
Power, les Cannon, tout le grand Sanhédrin du Parti,
pour décider de notre stratégie. Tu ne sais pas la nouvelle ? Les élections sont déclarées, oui, mon petit
garçon ! Tu ne comprends pas ce que cela veut dire ?
Cela veut dire que Maurice-le-Malin[56] a senti que le
temps jouait contre lui. Alors, il brusque tout. Déjà, il
est à l'œuvre et nous, nous dormons. Tu ne sais pas ce
que je donnerais pour être à Ottawa !

— Rien de plus facile, Monsieur.

— Je verrais le grand Mackenzie King. Ou bien il est
au Laurier's House[57] ou bien, la truelle à la main, il
travaille aux ruines qu'il est en train de construire
près d'Ottawa[58]… Mais qu'est-ce que tu viens de dire,

---

55. Politiciens libéraux : Louis-Alexandre Taschereau (1867-
1952), premier ministre du Québec (1920-1936) ; Charles Gavan
(Chubby) Power (1888-1968), ministre des Pensions et de la Santé,
puis ministre des Postes et de l'Air dans le cabinet de King ; Lucien
Cannon (1887-1950), Solliciteur général du Canada, de 1925 à
1930.

56. Maurice Duplessis achevait un premier mandat comme
chef du gouvernement à la tête de l'Union nationale. Il se retrou-
vera dans l'opposition après l'élection du 23 octobre 1939.

57. En 1921, la veuve de Wilfrid Laurier avait légué à King cette
maison victorienne, érigée en 1870, à l'angle des rues Laurier et
Chapel, dans le quartier Côte-de-Sable, à Ottawa. L'endroit est
devenu un lieu historique.

58. Croyant au spiritisme pour communiquer avec sa mère,
King utilisa des pierres du Canada et d'autres, importées d'Europe,

là, toi? Prends garde à tes paroles… Sais-tu à qui tu t'adresses?

Malgré ses petits yeux perçants, son menton en galoche, l'énergumène avait un relent de finances que les pauvres gens aussitôt percevaient. Jean Goupil répondit:

— Monsieur, j'ai l'impression de m'adresser à un gérant de banque ou à un inspecteur de compagnie d'assurance.

Au demeurant, un financier piqué de folie. Ça, Jean Goupil se garda bien d'en dire un mot.

— Mon garçon, tu n'es pas privé de discernement. Je viens en effet de la p'tite finance. Je suis le Sénateur Lesage, organisateur du parti libéral.

— Sénateur Lesage, daignez vous asseoir. Je vais vous conduire auprès du Très Honorable Mackenzie King.

Jean Goupil préféra commencer par les ruines, plus accessibles à son véhicule. En moins d'un instant, ils s'y trouvèrent rendus. Caché par un pan de maçonnerie faite au mortier, sans ciment, dans le genre moyenâgeux, un homme criait: «*Mother! Mother! Mother!*»

— Un autre fou, pensa Jean Goupil.

— Parfait! Parfait! dit le Sénateur Lesage.

Il contourna le pan de maçonnerie et, par son arrivée inopinée, déclencha des clameurs hystériques.

— O. K., Mackenzie, je ne suis pas aussi beau que ta maman: ça, je le sais depuis longtemps. Et je ne suis pas venu pour te bercer, petiot.

---

pour construire des «ruines» dans son domaine situé à Chelsea, sur la rive droite de la Gatineau.

Le Très Honorable Mackenzie King finit par reprendre contenance.

— Que me voulez-vous, Sénateur Lesage?

— Je suis venu vous apprendre, Très Honorable Premier Ministre, que Duplessis a déclenché les élections. J'ai déjà ma stratégie; pour vaincre le Trifluvien, lancez vos fédéraux. Qu'ils disent aux populations: sans nous, vous êtes cuites, vous aurez la Conscription.

— Sénateur, Duplessis battu, si elles l'avaient quand même la Conscription, vos populations?

— Trois ou quatre ans auraient passé[59]…

— Oui, mais après?

— Après, aucun problème. Elles viennent de manger assez de misère, ces chères populations, que vous n'aurez qu'à leur donner un peu de nanane, comme ces allocations familiales dont on parle parfois, pour qu'elles vous restent fidèles.

Le Très Honorable Mackenzie King, qui était un homme dur et cynique parce qu'il avait su rester fidèle à sa maman, regarda le Sénateur Lesage et se dit qu'il valait mieux que son menton en galoche… Dommage quand même qu'il eût ce menton-là et l'œil sinistre de ces Messieurs de la p'tite finance!

— Très Honorable, j'ai une postérité.

— Sénateur, on ne l'oubliera pas.

Le Sénateur Lesage, contournant le pan de maçonnerie, revint à la chaise de maréchal ferrant derrière laquelle l'attendait Jean Goupil. Un instant après, ils se retrouvaient dans la Grande-Allée, qui en restait au

---

59. En 1940, King avait promis de ne pas rendre la conscription obligatoire. En 1942, il organise un plébiscite pour se libérer de cette promesse. Malgré la forte opposition des Canadiens français, la conscription deviendra effective en 1944.

petit matin des fonctionnaires, contents de paresser dans leur lit auprès de leur tendre moitié, après avoir été faire pipi ; dans la Grande-Allée qui, en moins d'une heure, n'avait pas eu le temps de changer et restait déserte.

— Mon garçon, que te dois-je ?

— Sénateur, vous ne me devez rien.

— Aurais-tu par hasard entendu ce que j'ai dit au Très Honorable Lyon Mackenzie King ?

— Oui, en effet, Sénateur, j'ai tout entendu. Mais quelle importance cela peut-il avoir ? Dans deux jours, tout le pays le saura.

Le Sénateur Lesage se fit aller le menton, soit qu'il eût voulu hocher la tête, soit manifester de la considération à Jean Goupil.

— Dans une semaine, à pareille heure, il me plairait de te revoir, mon garçon.

— Tout le plaisir sera pour moi, Sénateur.

Là-dessus, ils se quittèrent sans plus de formalités. Jean Goupil alla se coucher dans la petite chambre que Thérésa lui avait conseillée dans Limoilou. Le Sénateur, qui s'était levé avant le petit jour, fit de même dans sa maison de la rue Saint-Cyrille. Quand, vers les huit heures, le Sanhédrin, qu'il n'avait pas pu rejoindre, les Taschereau, les Power, les Cannon se mirent à téléphoner, il fit dire que la stratégie des élections avait déjà été décidée à Ottawa. Durant l'avant-midi, Picard, le député de Bellechasse, et Lapointe[60], le ministre de la Justice, tentèrent de forcer sa porte et de le voir. Ils apprirent que le Sénateur était malade et ne pouvait

---

60. Deux membres du Parti libéral du Canada : Louis-Philippe Picard (1899-1959), député de 1940 à 1955 ; Ernest Lapointe (1876-1941), ministre de la Justice de 1924 à 1941.

recevoir personne par ordre de médecin. On fut unanime à penser que le rusé Sénateur leur avait passé par-dessus la tête. C'était la vérité, mais on ne parvenait pas à savoir comment. Le Sénateur pour sa part, encore imbu des superstitions de Chacoura, rang de Saint-Léon-de-Maskinongé, dont il était originaire, eut un frisson — les dents lui en claquaient — à la pensée du voyage qu'il avait fait à Ottawa sur une chaise de maréchal ferrant. C'est la passion qui l'avait lancé dans les airs, surtout l'animosité que lui causaient les grandes familles de Québec, — en quoi il n'était pas loin de ressembler à Duplessis, son compatriote de la Mauricie. Cette passion satisfaite, même s'il gardait la carapace de la p'tite finance, il était trop avancé dans les honneurs pour se commettre avec le diable, lui dont la cousine[61], journaliste à *La Presse* de Montréal, relisait son Saint-Simon chaque année, sans pour cela avoir beaucoup plus de propreté que le Duc lui-même ou ses ancêtres de Chacoura.

Le soir même, faisant la nique à Sally O'Rooke, Jean Goupil s'en fut trouver Thérésa, qui lui devait trois nuits d'amour. La belle élève des sœurs de la Congrégation ne le reçut pas avec tout l'enthousiasme auquel il aurait dû s'attendre.

— Pauvre Jean Goupil, tu n'es plus puceau! Je ne dis pas que tu sois vilain garçon, mais tu me tentes moins que la première fois.

— Thérésa, ne me parle plus de ça : je te considère comme ma mère.

---

61. Édouardina Lesage (1875-1961), journaliste à *La Presse* de 1903 à 1956 ; elle anima « Le courrier de Colette », son pseudonyme, pendant des décennies.

— Alors pourquoi viens-tu me relancer ici?

— Voici, ma belle Thérésa: je viens te proposer d'échanger mes trois nuits d'amour pour six petits voyages à Ottawa, d'une demi-heure à trois quarts d'heure chacun.

— Sur ta vilaine chaise de maréchal ferrant?

— Oui, j'ai appris à la maîtriser… Dis-moi, sais-tu l'anglais?

— Oui, mon cœur, parfaitement.

— Alors rassure ta nouvelle maquerelle, cette affreuse Sally O'Rooke: je ne viendrai te chercher qu'à la sortie, vers cinq heures du matin.

— Et quelle sale besogne me feras-tu faire à Ottawa, Jean Goupil?

— Un rôle de comédienne. Il y a là un vieux fou qui crie: *«Mother! Mother!»* Tu lui répondras gentiment. Surtout, tu lui diras ce qu'il faudra: je t'expliquerai.

— D'accord, Jean Goupil.

— À demain matin, très chère Thérésa.

Le lendemain matin, alors qu'au-dessus des bordels de la rue Saint-Vallier les ailes du moulin ne tournaient plus, Jean Goupil vint chercher la belle Thérésa et l'emmena dans les ruines que le Très Honorable William Lyon Mackenzie King bâtissait de ses propres mains pour les léguer, après sa mort, à son cher pays, le Canada. Ces ruines se trouvent près d'Ottawa et chaque Canadien, un peu fier et patriote, s'y va recueillir, au moins une fois dans sa vie. Le Très Honorable King y travaillait au petit matin, ensuite appelait sa maman, puis allait au Laurier's House se costumer en Premier Ministre et, le reste de la journée, semblait un homme normal, un politicien averti. Le pauvre! il gueula beaucoup après sa maman et n'en eut pas pour son compte:

durant toute sa longue vie, elle ne répondit à ses abjurations que six fois, et encore fallut-il que la belle Thérésa lui prêtât voix. Jean Goupil, qui avait été aux informations, avait appris à celle-ci de le nommer Lyon, comme elle faisait au temps de sa première jeunesse. Le Très Honorable maçonnait un peu chaque matin, puis il gueulait :

— *Mother! Mother! Mother!*

— Oui, mon petit Lyon, je t'écoute et mon cœur se brise à t'entendre. C'est depuis que je suis sous terre descendue qu'ainsi je te suis attentive. Tu m'as tourmentée dans la vie et, dans la mort, ô mon Lyon! tu continues de le faire.

— *Mother! Mother!* Comme ta voix est changée!

— Sous terre, mon Lyon, la tienne le serait aussi… Ah, ciel! Je vois la barre du jour. À demain, cher enfant, il me faut être retournée dans ma sinistre demeure avant le lever du soleil.

De retour à Québec, Thérésa s'en fut dans ses appartements, qu'elle avait au Claridge, chez Monsieur Picard, le député de Bellechasse et l'amant de la charmante Madame Warren. Jean Goupil l'accompagnait.

— Eh bien? lui demanda-t-elle.

— Thérésa, tu fus parfaite. C'est tiguidou, notre affaire.

— Mais je ne sais plus quoi lui dire à ce vieux fou.

— Voici : à partir de demain, tu commenceras à lui parler de Jean Goupil et lui diras qu'il faut absolument le nommer sénateur.

— Cher amour, tu vas vite, toi!

— En politique, Thérésa, c'est le secret : faire vite et frapper juste.

— Tu m'impressionnes, sais-tu, Jean Goupil… Viens donc dormir avec moi.

— Non, Thérésa, je ne suis plus puceau, je t'achalerais.

— S'il me plaît, à moi, que tu m'achales !

— Pauvre chère grande, toi qui en as toujours un entre les jambes, un achalant, un zigonneux… Non, plus de ça entre nous.

— Comme tu le voudras, Jean Goupil.

Ils arrivaient au Claridge. Thérésa parut inquiète, ne sachant que répondre au vieux fou s'il lui demandait pourquoi Jean Goupil devait être nommé sénateur.

— Ma chère grande, tu prendras ta voix la plus profonde pour t'écrier : « Hélas ! Hélas ! Hélas ! » Le petit maçon te suppliera de t'expliquer. Tu diras : « Mon pauvre Lyon, tu ne le pourras jamais. » Et tu lui feras mon histoire, celle d'un orphelin abandonné, qui n'a aucune parenté avec les Taschereau, les Power, les Cannon de Québec, qui n'a même pas été présenté au Très Honorable Arnest Lapointe. Ton Lyon sera très embêté. Alors, tu lui diras que Jean Goupil n'en est pas moins un garçon de qualité et qu'il représente le Québec autrement mieux que les pantins officiels, ces Taschereau et cie ; mieux même que le Très Honorable Arnest. Tu ajouteras : « Mon pauvre petit Lyon, tu as beau être Premier Ministre du Canada, tu ne pourras pas me donner satisfaction. Va, je te comprends : pour gouverner ton grand pays, tu dois composer avec cette faction d'importants, avec ces pantins qui, pour pantins qu'ils soient, n'en tirent pas moins quelques petites ficelles qui te font bouger un pied, une main, une oreille. »

— S'il n'a pas les moyens de te nommer sénateur, pourquoi lui en ferais-je la demande, Jean Goupil ?

— Tu as compris, ma très chère! Si tu le lui demandes, c'est à cause de ta situation. Pauvre Thérésa! Tu es morte et dans l'obligation d'obéir aux divinités profondes qui te régissent.

— Jean Goupil, que tu parles bien! Tu parles déjà mieux qu'un sénateur. Il faudra me faire répéter mon rôle. Autrement, je ne serai pas digne de toi et, surtout, je ne me souviendrai de rien de ce que tu veux me faire dire.

Les cinq jours qui suivirent furent tous à la gloire de Jean Goupil. Le Très Honorable William Lyon Mackenzie King, trop heureux d'entendre sa mère, ne remarquait guère son insistance à parler du Sénat et du sénateur qu'il devait nommer, après quoi, le p'tit maçon, le constructeur de ruines, le respecté Premier Ministre du Canada, eut beau gueuler chaque matin: «*Mother! Mother! Mother!*», on ne daigna plus lui parler: il était désormais un pauvre p'tit orphelin. Son abandon avait un sens: durant plus de dix ans, malgré son titre et ses pouvoirs, il ne put satisfaire à l'unique demande que sa mère lui avait faite. Le Très-Honorable Arnest, par qui il devait passer pour toute nomination dans l'incertaine et déloyale, dans la maudite province de Québec, avait profité de ses fonctions à la Justice pour faire ficher Jean Goupil et, mon doux Seigneur…

— Ah, *Mother! Mother!* Quelle grande artiste tu fais! Ah, combien je t'admire! Jean Goupil ne sait ni lire ni écrire; il vivrait dans la petite pègre de la ville de Québec de moyens douteux; c'est de plus un orphelin qui, avant d'être rendu à sa grosseur, aurait été élevé sur les hauteurs de Dorchester par des paysans extravagants, le pape Poulin et la Romaine… *Mother*, ta demande est très belle mais, pour le moment, elle me laisse impuissant: la nomination de Jean Goupil au Sénat causerait une véritable révolution dans *this damned province of Quebec*.

Cependant le frisson du Sénateur Lesage avait cessé. Il se trouva au rendez-vous fixé à Jean Goupil, lequel s'y amena, bien entendu, en traînant par derrière soi sa vilaine chaise de maréchal ferrant.

— J'aurais préféré que tu ne l'apportes pas, mon garçon. Au retour de mon voyage à Ottawa, quand je me suis mis à y penser, ce fut plus fort que moi: la fièvre s'est emparée de moi.

— Sénateur Lesage, sans ce véhicule, que serais-je pour vous?

— Rien du tout, rien de plus en tout cas qu'un Magoua. Tu sauras que, dans Chacoura, un Magoua[62], c'est moins que rien… Tu as bien fait de l'apporter, ta maudite chaise. D'ailleurs, j'ai eu le temps d'y réfléchir. Le Parti libéral a le saint bidou, donc les moyens de s'en passer… Ah! j'oubliais de te le dire; le bonhomme King fait sienne ma stratégie: tous les barons fédéraux descendront dans l'arène pour crier au peuple «Sans nous, vous aurez la Conscription» et battre le maudit Trifluvien, le dénommé Maurice Duplessis.

— Toutes mes félicitations, Sénateur Lesage.

Jean Goupil fit mine de s'éloigner.

— Hé, Jean Goupil!

— Sénateur?

— Ce n'est pas que je sois un homme reconnaissant, venu au Parti par la p'tite finance. Je me rappelle

---

62. Terme péjoratif, dérivé d'un terme amérindien, employé surtout en Basse-Mauricie pour désigner les gens des classes sociales inférieures.

quand même que c'est grâce à toi que je l'ai emporté sur les Taschereau, les Power, les Lapointe, les Cannon. Pour un homme de Chacoura, c'est une chose qui ne s'oublie pas. Combien veux-tu?

— Je ne veux rien, Sénateur, content de vous avoir aidé, quitte à vous avoir donné un peu le frisson.

Jean Goupil, traînant sa chaise, fit mine encore de s'éloigner. Le Sénateur lui mit la main sur l'épaule.

— Jean Goupil, ne pense pas à te tirer de mes pattes comme tu voudras. Si je te laissais aller, où irais-tu?

— Voir Maurice, vous pensez bien.

— Écoute, mon garçon, j'ai un autre marché à te proposer: tu verras Maurice, mais tu resteras au service du Parti libéral. Ta maudite chaise, elle va vite. Le temps de le dire, elle est ici, elle est là; si elle multipliait les voyagements inutiles? Tout n'est pas d'être ici ou là: il faut d'abord se trouver à la bonne place. Maurice a moins de scrupules que nous…

— Parce qu'il a moins de bidou[63].

— Si tu veux, mon garçon, si tu veux. Je te mets en contact avec lui et qu'est-ce que tu fais? Tu le promènes par toute la province; il a l'impression de couvrir tous les comtés et, de fait, il les couvre, mais, guidé par moi, dans chaque comté, tu l'emmènes dans le village qui n'est pas aimé des autres, où il ne faut pas aller… Jean Goupil, tu recevras dix cennes du mille, de quoi être à l'aise après les élections.

Jean Goupil accepta le marché, sachant qu'il faut de la fortune et des bonnes manières pour devenir sénateur. Il se garda bien de parler de son ambition au Sénateur Lesage qui, entré par le plus bas au Sénat, n'y

---

63. Argent. Le plus souvent au pluriel: *bidous*.

aurait pas toléré plus bas que lui. Le Sénateur le mit en relation avec le malin Trifluvien, le fameux Maurice Duplessis, un homme qui avait de l'humanité, mais guère plus de scrupules qu'un seigneur bandit de la Renaissance italienne.

— Ti-gars, tu as volé la chaise du diable, mais je m'en chrisse : elle fera mon affaire. En retour, que me demanderas-tu ?

— Maurice, je ne te demanderai rien. Les Judas préparent la Conscription. Je serai bien payé si je t'aide à les en empêcher.

Maurice, que le goût du pouvoir rendait aussi froid que le sang du crocodile, aussi cuirassé que sa peau, était enchanté par la chaise de maréchal ferrant qui lui permit de faire deux fois le tour de ses comtés. Les journaux titraient en grosses lettres : «Duplessis est partout à la fois. Il fait aux Libéraux une lutte du diable.» Seulement, derrière sa frénésie, il y avait les petits yeux narquois, le menton en galoche du Sénateur Lesage. L'itinéraire de sa double tournée était tracé à son désavantage : «Ne t'en fais pas, Gérald[64], j'aurai le temps de faire une troisième tournée.» Le bel accent de Kamouraska du petit Godbout[65], son antagoniste, prenait un charme qu'il n'avait jamais eu. Les grands fédéraux étaient descendus dans l'arène, les Lapointe, les Cardin, les Rinfret[66], et toute la piétaille. La main

64. Gérald Martineau (1902-1968), conseiller législatif, trésorier du parti de l'Union nationale de 1944 à 1960.

65. Adélard Godbout (1892-1956) fut premier ministre libéral du Québec en deux occasions.

66. Deux députés libéraux à Ottawa : Pierre-Arthur Cardin (1879-1946), alors ministre des Transports et des Travaux publics, et Fernand Rinfret (1883-1939), secrétaire d'État.

sur le cœur, ils disaient et répétaient : « Ô malheureux compatriotes ! si Duplessis gagnait, nous ne serions plus là pour vous sauver de la Conscription. » Duplessis fut battu. Dans un livre écrit sur lui par un type à la Hugh MacLennan, par un Canadien anglais[67] qui veut atténuer la mauvaise foi de ses semblables, il est écrit que le Mauricien accepta dignement la défaite. Il n'en fut rien : à la nouvelle, le ventre se mit à se gonfler ; on détacha ses vêtements, il suffoquait. Il fallut mander le médecin. Jean Goupil admira le terrible ambitieux qui, pour la première fois, était apparu dans le Québec. Et il s'en voulut de s'être mis au service de cette vieille fripouille de Sénateur Lesage et du petit fou qui, après avoir meuglé à sa maman, le matin, devenait un ennemi implacable et sans cœur.

Ce fut bientôt la guerre, la récupération des chômeurs par le volontariat militaire, la relance de l'économie américaine, à qui s'ouvraient les marchés européens, puis la Conscription, votée par les fédéraux qui avaient fait l'élection de 1939 et s'étaient proposés au Québec comme les seuls politiciens capables d'empêcher ladite Conscription. Parmi cette clique, il n'y eut que deux ou trois hommes qui s'en tirèrent avec honneur, abandonnant le gouvernement du Très Honorable William Lyon Mackenzie King ; ce furent les honorables Chubby Power et Cardin ; tout le reste de la députation québécoise s'humilia. J'ai dit que le petit meugleur n'avait aucun souci de l'honneur de l'homme ; parce qu'il aimait follement sa maman,

---

67. Référence à l'ouvrage de Leslie Roberts, *Le chef. Une biographie politique de Maurice L. Duplessis*, traduit par Jean Paré (Éditions du Jour, 1963, réédité en 1972).

toutes les vilenies lui étaient permises. Après avoir humilié le Québec dans sa députation, il poussa l'infamie jusqu'à faire plébisciter l'humiliation par le peuple du Québec. Cela lui fut possible : les députés félons n'avaient pas de véritables adversaires et les Québécois formaient un peuple pauvre. Il fit voter ce peuple contre sa rage en l'achetant tout simplement, en lui versant une mensualité pour ses enfants, pour ses vieillards[68].

— *Mother! Mother!* C'est tiguidou.

Pour une fois, Thérésa était revenue à Ottawa sur la chaise de maréchal ferrant de Jean Goupil : il obtint une réponse à ses cris :

— Lyon, tu n'as jamais été qu'un pauvre petit salaud.

— *Mother! Mother!*

— Reste dans ta marde, William Lyon Mackenzie King. Ton beau et cher Canada durera peut-être encore un peu, plus ou moins comme une sorte de Mongolie extérieure : il est fini, foutu. Il n'y a plus que deux pays en Amérique du Nord : les États-Unis et le Québec.

Le petit homme continua de beugler après sa bonne mère pour avoir des explications, Thérésa avait du mal à se contenir.

— Jean Goupil, Jean Goupil, ramène-moi au plus vite ou elle finira mal, ta petite séance dans les décombres artificiels : je saute par-dessus cette espèce de mur et c'en sera fini de la *mother* : je lui crèverai les yeux tout simplement à ton morveux de Premier Ministre du Canada.

---

68. Le programme des allocations familiales voit le jour le 1er juillet 1945. En 1927, le gouvernement King avait fait adopter la *Loi des pensions de vieillesse*.

— Arrête-moi ça, Thérésa, et rembarque au plus vite dans ma voiture.

La vilaine chaise de maréchal ferrant était là, toute proche. Un instant plus tard, le p'tit bonhomme restait éberlué dans ses décombres : la belle Thérésa et Jean Goupil se trouvaient déjà près du Claridge, dans la Grande-Allée de la ville de Québec.

— Adieu, Thérésa.

— Adieu, Jean Goupil.

Et comme elle allait entrer dans le bel immeuble du député de Bellechasse, il s'écria :

— Thérésa ! Thérésa ! Tu m'as été plus qu'une mère !

La belle fille était morfondue. Elle lui répondit simplement : «Voyons, Jean Goupil, grand bêta !» Et elle entra au Claridge. Ce fut la dernière fois qu'elle et le p'tit orphelin, venu de Saint-Zacharie avec un morceau de cochon, se virent. En 1944, Maurice Duplessis avait repris le pouvoir au Québec, et cet homme rusé, qui cacha toujours sa pensée, était en train de faire un État de l'espèce de grand conseil municipal dont s'étaient contentés les Taschereau, les Power, les Cannon. Brutal comme un homme de la Renaissance, il n'avait pas que des qualités ; quand il pissait, il pissait fort, et ce fut justement dans sa pisse que notre bien-aimé Pierre-Elliot Trudeau, d'un air un peu dédaigneux, a pris naissance. Ce sera grâce à son vilain côté que Jean Goupil enfin deviendra sénateur.

Cinq années avaient passé depuis qu'il avait subtilisé à Eméry Samuel la chaise du diable. Jack O'Rooke et le Do Boulé, qui auraient bien aimé l'avoir à leur disposition, commençaient à croire qu'elle avait été jetée de la falaise sur le plein et emportée par la mer. Cela continua d'être un dogme de foi pour le diable qui, dans l'arrière-cuisine de la taverne Neptune, ne se lassait pas de faire rouler ses dés pipés. Au moins, après tout ce temps perdu, Jean Goupil avait cessé d'avoir peur du prince de l'ombre et de penser qu'il battait la campagne pour retrouver sa vilaine chaise de maréchal ferrant ; il avait cessé de se tenir au loin des bosquets et des buissons à la nuit tombante, sous le ciel livide sur le point d'être conquis à partir de noirs amas, justement de ces buissons et de ces bosquets. Ces cinq années-là avaient passé sans procurer de l'avancement à sa bien-aimée Tinamer, la fille du pape Poulin et de la Romaine. Elle n'avait pas quitté Saint-Zacharie-en-Dorchester, sur les dernières hauteurs de la rivière Chaudière, près d'un petit coteau de sable au-delà duquel commençaient les États-Unis. Tinamer avait maintenant vingt ans, des hanches et de la poitrine, et c'était son seul avancement ; si elle était fort jolie fille, cela n'annonçait pas pour autant qu'elle allait devenir bientôt une des plus grandes dames du pays. Jean Goupil, son amoureux, venait une ou deux fois par mois, à la nuit tombante. Il posait sa chaise en arrière de l'étable, puis entrait dans la maison. Le vieux chien, pourtant le plus féroce gardien qui fût, percevant son odeur familière, battait de la queue dans la nuit. Jean Goupil montait à la chambre des filles.

— Tinamer, réveille-toi. C'est moi, Jean Goupil. Je t'attends en arrière de l'étable.

Tinamer ne tardait jamais à l'y rejoindre. Une fois cependant elle lui dit :

— Jean Goupil, écoute le vent : ne fait-il pas une grand'tempête de neige ?

— Tinamer, es-tu vraiment éveillée ?

Jean Goupil l'emmenait dans les îles du Sud. Elle y savourait des fruits dont le nom n'était même pas connu à Saint-Zacharie. Un jour, dans ce petit village, il y eut branle-bas: le marchand avait reçu pour la première fois des pamplemousses. Ce fut la grande nouvelle du jour. Seule Tinamer Poulin n'en fut pas bouleversée; elle esquissa un petit sourire de biais qui en disait long. Le pape en avait rapporté un fruit pour chaque enfant. Toute la famille était émerveillée. Même la Romaine souriait avec béatitude. Tinamer laissa le sien à la petite Rose-Aimée. Le pape n'en revenait pas.

— On dirait, Tinamer Poulin, que tu as grandi sur un tas de pamplemousses!

Une à deux fois par mois, Jean Goupil l'emmenait dans ces grandes nacelles sombres qui flottaient sur les eaux phosphorescentes des mers du Sud. Grâce à ces nuits d'amour, elle s'était épanouie, toute de sucre et prête à fondre, dans un bel appareil qui déjà n'avait plus l'acabit de Saint-Zacharie-en-Dorchester. De plus en plus, elle ressemblait à son arrière-grand-mère abénaquise, la plus belle femme de sa nation, tout d'abord, et qui, en prenant de l'âge, était devenue une célèbre capitainesse qui en imposait aux plus grands chefs. Ces voyages impromptus, ces lunes de miel ne lui étaient pas inutiles. Sans les souvenirs qu'ils lui laissaient, sans foi en elle-même, sans l'ambition nouvelle, reflet de son autorité ancienne qu'ils remettaient en elle et qui lui était si naturelle, peut-être se serait-elle contentée, à son propre détriment, d'un sort modeste sur les hauteurs de la rivière Chaudière? Ce sort lui devenait d'autant plus difficile que la femme du pape, la Romaine, lui était franchement odieuse.

Jean Goupil se trouvait dans l'obligation de la supplier d'être patiente.

— J'ai beau me démener, je reste loin des honneurs qui feront de toi une grande dame, ô Tinamer! sur toute l'étendue d'un pays qui va d'un océan à l'autre. Jamais je n'aurais cru qu'il était si malaisé de devenir, comme tant de stupides individus, un sénateur.

— Ô Jean Goupil! Ô mon brave Jeannot, tu n'es qu'un pauvre orphelin! As-tu jamais entendu dire que les sénateurs du Canada étaient choisis parmi les enfants abandonnés?

— Oublierais-tu, Tinamer Poulin, que je dispose d'une chaise pas ordinaire.

— Pauvre petit garçon, tu aurais le diable bridé, que les importants s'écarteraient de toi pour te laisser courir dans le vent! Ils sont en place, tous mêlés les uns aux autres, comme une portée de chiens, tandis que tu arrives de l'extérieur. Tu es de leur peuple, mais tu n'es pas de leur race. Que peux-tu faire? Tu ne les dérangeras même pas dans leur trafic de bonnes planques et d'honneurs. Tu ne te nommes pas Saint-Denys-Garneau! Tu n'es pas le fils de Madame Anne Hébert[69]! Jean Goupil, tu n'es rien! Au moins, si tu leur faisais peur, mais tu n'as même pas l'air méchant!

— Tinamer, je n'ai pas dit mon dernier mot. Je t'en supplie: attends encore un peu. Réserve-moi de la place dans ton cœur: je finirai par l'occuper, tu verras.

— Jean Goupil, tu l'occupes déjà. Va, mon grand, je t'attendrai le temps qu'il faudra.

---

69. L'écrivaine Anne Hébert était la cousine du poète Hector de Saint-Denys Garneau pour lequel elle a souvent dit son admiration.

Elle l'attendit, même si des fils de gros cultivateurs, flairant la bonne bouchée, venaient veiller chez le pape Poulin, accueillis comme des princes par la Romaine, qui n'en arrêtait pas de montrer ses deux rangées de chicots noirs. Les pères de ces jeunes gens, tous grands électeurs dans les comtés de Beauce, Mégantic et Dorchester, obtinrent aisément un poste de cantonnier pour le pape Poulin, à la grande surprise des gens de Saint-Zacharie. Comme le pape était un grand extravagant, un rabouin, un disputeur, une manière de sauvage qui n'était pas fait pour les honneurs, on fit courir la nouvelle que sa fille Tinamer, si belle, si mûre, et nullement indigne du lit d'un fils aîné d'un gros cultivateur, était la fille de la Romaine et de l'honorable Maurice Duplessis. Cela changeait bien des choses : on pouvait venir chez le pape d'aussi loin que Sertigan et que Saint-François sans déchoir. Durant l'année qui suivit, Tinamer fut demandée en mariage, de tout bord, tout côté. La Romaine, lui écrasant le pied, disait :

— Accepte.

Tinamer, les larmes aux yeux, répondait :

— Non.

Et le pape disait :

— Maudite Romaine ! Laisse-la donc, cette petite. Elle se mariera quand elle voudra.

Le nom du pape, d'abord dérisoire, était devenu synonyme de coq à Saint-Zacharie. On venait le consulter sur toutes les questions d'importance et, comme il n'était pas barré, son opinion venait drue, acceptée comme un verdict du bon Dieu.

Cependant, Jean Goupil réfléchissait ; il se dit qu'à Québec on ne ferait que se servir de lui. Le centre de décision se trouvait à Montréal. C'est à Montréal qu'il devait aller utiliser sa chaise de maréchal ferrant, même si Jack O'Rooke et le Do Boulé l'attendaient pour s'en emparer. Que pouvait Jean Goupil contre eux? Rien du tout. Dès qu'il arriva à Montréal, que fit-il? Il gara sa chaise chez la sœur de Tinamer, la belle Marie, qui était mariée à Théodule Maheu, et se fit conduire à la taverne Neptune.

— Je veux voir le boss.

Derrière le comptoir, Jack O'Rooke eut l'outrecuidance de répondre:

— Mon garçon, le boss, c'est moi.

À ce moment-là, on entendit les portes de la cuisine et de l'arrière-cuisine grincer. Jean Goupil vit le tavernier blêmir et se mettre à trembler.

— Venez, je vais vous conduire à lui.

Ouvrant la porte de l'arrière-cuisine, il cria:

— Boss, voici pour vous quelqu'un de Québec.

Vitement, il revint dans la grand'salle de la taverne. Le diable faisait rouler ses dés pipés. Jean Goupil aussitôt de s'asseoir en face de lui.

— Une partie?

— Tes dés sont pipés, boss.

— Alors que me veux-tu, mon petit Jean Goupil? Je te préviens, tu portes un nom que je n'aime pas. Mes dés sont peut-être pipés; mes paroles ne le sont pas.

— Boss, mes paroles non plus ne sont pas pipées. Tu n'es pas sans savoir que, depuis plus de cinq ans, j'ai ta vilaine chaise de maréchal ferrant. Je m'en suis servi discrètement.

— Je le sais, Jean Goupil, et t'en remercie.

— Eh bien, boss, j'en ai assez de me promener dans les airs pour pas grand-chose : je veux devenir sénateur.

— Ça aussi, je le sais, comme je sais que tu as au cabinet un chaud partisan en la personne du Très Honorable William Lyon Mackenzie King. C'est ta province qui te bloque.

— Écoute, Malin, je ne suis pas venu te voir pour apprendre ce que je sais.

Le diable fit rouler ses dés et fixa Jean Goupil de ses beaux yeux si tristes.

— Qu'est-ce que tu veux, mon garçon ?

— Boss, être sénateur au plus sacrant pour que Tinamer Poulin, la fille du pape et de la Romaine, devienne une des grandes dames du pays.

— Tu peux le devenir dans un an, Jean Goupil. Tous les importants du pays se sont coalisés pour obtenir la perte des idéalistes qui, pour être tels, n'en sont pas pour autant des imbéciles. Ils contrôlent le parti communiste et quatre ou cinq grands syndicats. La coalition comprend le p'tit maçon, Duplessis, les belles âmes de la CCF[70] et des gangsters américains, tel un certain Hal Banks[71]. Et j'allais oublier les zouaves du Grand Vicaire Léger et ces Messieurs de la police politique. On attaque les idéalistes du dedans et du dehors. Va te mettre à la disposition d'un certain Pierre Gélinas[72],

---

70. La Cooperative Commonwealth Federation, formée en 1932, s'alliera au Conseil canadien du travail, en 1961, pour devenir le Nouveau parti démocratique.

71. Hal C. Banks (1909-1985). Cet Américain, criminel reconnu, prit le contrôle du puissant syndicat canadien des marins pour le débarrasser de ses éléments «communistes».

72. Pierre Gélinas (1925-2009), journaliste, romancier ; membre de la direction du Parti communiste canadien.

secrétaire du Parti, et tu deviendras sénateur, comme je te l'ai dit, Jean Goupil, au bout d'un an.

— Je t'écoute, mon beau Diable, et je me dis que tu as peut-être tes petites exigences.

Le diable fit rouler ses dés sur la table.

— Une partie, Jean Goupil?

— Tes exigences, Diable.

— D'un orphelin, tu sauras que je ne demande rien.

— Il crève sans toi ou bien il devient un faible d'esprit. Je ne te demande pas de jouer au farceur, Diable. Réponds-moi sérieusement.

— Eh bien, Jean Goupil, quand tu seras sénateur et Tinamer Poulin, de Saint-Zacharie-en-Dorchester, une des plus grandes dames du pays, tu jetteras simplement dans le fleuve cette vilaine chaise de maréchal ferrant. Je ne te demande rien de plus.

— Promis, boss.

— Je t'avertis: Jack O'Rooke et le Do Boulé ont l'œil dessus. Sois assez fin pour les déjouer.

— Cela fait cinq ans que je le fais: pourquoi ne continuerais-je pas?

— Tu te tenais à Québec où il ne se passe pas grand-chose. À Montréal, Jean Goupil, c'est différent.

Le diable envoya Jean Goupil chez Pierre Gélinas qui, secrétaire du Parti, était assez bien placé pour l'aider. Ce personnage clé était prognathe et bégayait. Il fit signer sa carte de membre à Jean Goupil puis, sous prétexte que la police était partout, lui annonça qu'il la garderait pour lui.

— Ain... ainsi, elle se... sera en sû... sûreté.

Pour le soir même, une assemblée était prévue, où l'orateur principal était Eméry Samuel, l'ancien sacristain du curé Godfrey à Cap-Chat, en Gaspésie. Son discours portait sur les lacunes du Parti qui devait une partie, une large partie de son audience à la crise économique qui avait sévi jusqu'à la guerre et à laquelle avaient succédé les sept vaches grasses, les années de prospérité qui avaient ramené à Montréal, allégrement, les colons de l'Abitibi et du Témiscamingue. Une première objection fusa : comment parler de prospérité quand le capitalisme ne peut qu'appauvrir de plus en plus les prolétaires ?

— Camarade Samuel, auriez-vous changé de parti ?

— Mon ami, je dis ce que je vois, ce que vous verriez vous-même si vous n'étiez pas de mauvaise foi : il n'y a plus personne à Montréal qui erre dans les ruelles pour trouver quelque pourriture à manger dans les poubelles.

Là-dessus, l'ancien sacristain du curé Godfrey, le converti de la belle Thérésa, qui l'avait envoyé à Montréal pour prêcher le salut de l'humanité, signala que le Parti n'avait pas su profiter du vent qu'il avait en poupe pour se donner une politique québécoise et qu'il était grand temps de le faire. Le provocateur de police, à qui il avait clos le bec avec l'assentiment de l'assemblée à propos du retour à la prospérité, avait des petits copains qui attendaient le bon moment pour intervenir. Pierre Gélinas releva le menton. Tout aussitôt, ils se mirent à houspiller le brave Eméry Samuel qui pourtant ne pensait qu'à la pérennité du Parti. Ils le traitèrent de nationaliste petit-bourgeois. Une résolution, déjà cuisinée, demanda l'expulsion d'Eméry Samuel du Parti communiste. Tout le monde l'aimait, tout le monde connaissait le mal qu'il s'était donné pour les siens. Le vote avait sans doute été cuisiné. Personne n'en crut ses oreilles quand Pierre Gélinas, plus bègue que d'ordinaire, vint annoncer l'exclusion d'Eméry Samuel. Après l'assemblée, le secrétaire du Parti vint trouver Jean Goupil, lui disant qu'Eméry Samuel devait partir pour Vancouver.

— Facile à dire, moins facile à faire.

— Le boss… boss l'exige.

Eméry Samuel et ses vieux camarades de lutte restaient déconcertés ; ils l'étaient d'autant plus qu'ils savaient qu'on ne se rebelle pas contre le Parti, dernière instance de l'espoir. Ils s'étaient réunis dans une taverne, près de la salle des Charpentiers où avait eu lieu l'assemblée. L'un d'eux s'écria :

— Camarades, il y a eu tricherie. Je viens de repasser quant-et-moi tous les assistants : c'est impossible qu'Eméry ait été battu.

À ce moment, Jean Goupil se glissait près du vieil Eméry et lui signalait qu'à Vancouver le Parti était autrement plus dynamique qu'à Montréal.

— C'est à Vancouver que la lutte doit être portée et gagnée. Dès demain, camarade, je t'y conduirai aussi vite que naguère tu es venu de Cap-Chat à Québec.

Après les parlottes, chacun pensait à rentrer chez soi. On vit alors Eméry Samuel se dresser. Il cria :

— Surtout point de luttes intestines à la face du public. Camarades, continuez de lutter pour la dictature du prolétariat. Pour ma part je vais porter la lutte où il se doit. Ô mes vieux camarades ! je vous reviendrai bientôt.

On crut qu'il partait pour Moscou. Le lendemain, sur la chaise du maréchal ferrant de Jean Goupil, il s'en allait à Vancouver. Il se laissa séduire par le beau pays de la Colombière qui entoure cette ville et n'en revint jamais, ce que le diable voulait. Le Parti, en peu de temps, se trouva purgé de ses meilleurs éléments. On s'attaqua ensuite aux syndicats ouvriers, ceux de la mer et ceux des forêts, ceux des électricités, des mines et des filatures. Près de Valleyfield[73], menacée d'être tuée, Madeleine Parent se cacha dans un fossé, le long de la route, et vit ses assassins passer : c'était les milices de Hal Banks auxquelles s'étaient joints les zouaves pontificaux du Grand Vicaire Léger.

Quand tout fut fini, Jean Goupil se rendit dans l'arrière-cuisine de la taverne Neptune et trouva le diable penché, en contemplation sur ses dés. Il lui dit :

— Salut, le Diable ! Ma besogne est finie, je m'en viens toucher mon salaire.

Le diable ne releva pas la tête.

— Je ne m'y connais pas en politique, mais j'ai comme l'impression, mon beau salaud, que tu m'as fait faire pas mal de saloperies.

Le diable regarda Jean Goupil avec surprise.

— Ben quoi ? fit-il.

— Ben quoi ! Ben quoi !… Je ne te demande pas des « Ben quoi ? » Je suis venu chercher mon diplôme de sénateur du Canada : l'as-tu ou l'as-tu pas ?

— Une partie de dés, Jean Goupil ?

Jean Goupil s'empara des dés pipés et les lança par terre. Jack O'Rooke aussitôt apparut dans l'embrasure de la porte de l'arrière-cuisine.

---

73. En 1946 et en 1947, le Syndicat des ouvriers du textile déclencha une série de grèves dirigées par Madeleine Parent et son mari, Kent Rowley. Alors vicaire général du diocèse de Valleyfield, Paul-Émile Léger (1904-1991) avait lancé une féroce campagne contre les grévistes.

— Sale chien rouge! Que viens-tu faire ici? As-tu peur que ton boss se fasse casser sa jambe de bouc?

Le diable dit calmement au tavernier:

— Jack O'Rooke, va donc dans la grand'salle me chercher le journal du soir.

Ce que fit Jack O'Rooke. Après quoi, le diable le congédia. En première page du journal, il y avait le portrait de Jean Goupil et l'on pouvait lire, en-dessous de ce portrait, qu'un des hommes les plus connus du Québec, Jean Goupil, venait d'être nommé au Sénat canadien par le Gouverneur général en personne afin d'honorer le courage et la diligence dont il avait fait preuve contre les ennemis du grand Canada.

— La diligence: tu saisis?

— Je ne saisis pas, Diable, je poigne.

— Alors, es-tu satisfait de moi? Tu me dois bien une petite partie.

— Tes dés sont par terre. Ce n'est pas moi qui me pencherais pour les ramasser. D'ailleurs, soit dit entre nous, Diable, la partie a déjà été jouée et gagnée.

Le diable se pencha et regarda Jean Goupil de ses beaux yeux glacés.

— Tu as gagné, penses-tu?

— Oui, puisque Tinamer Poulin deviendra une des grandes dames du pays.

Jean Goupil se leva.

— Je m'en vais à Saint-Zacharie.

Le diable le reconduisit dans la grand'salle de la taverne. Là, ayant sifflé entre ses dents, tout le monde se tut et il annonça la nouvelle. Tous les matelots se levèrent et l'acclamèrent en jetant leur béret en l'air. Jack O'Rooke, pour sa part, s'inclina profondément.

À Saint-Zacharie, tout le monde était au courant, car la nouvelle était parue dans les journaux du matin, à Québec. Les fils des gros cultivateurs comprirent pourquoi Tinamer Poulin avait refusé d'être leur femme. La rumeur qui faisait d'elle la fille de Maurice Duplessis se reporta sur Jean Goupil : c'était lui le fils du vieux renard. La nouvelle honorait tout le haut de la rivière Chaudière. Quand Jean Goupil descendit derrière l'étable du pape Poulin, il y avait déjà affluence. On était venu d'aussi loin que Sertigan et Saint-François pour célébrer sa nomination au Sénat. Justement leur gros plaisir lui faisait mal au cœur. Il s'imagina la Romaine au devant d'eux, leur faisant des façons, en riant de tous ses chicots noirs. Et Jean Goupil resta un moment dans l'ombre à reprendre courage avant de se lancer de l'avant, pour aller trouver dans cette foule celle qu'il aimait.

— Jean Goupil, dit une voix dans l'ombre.

Aussitôt il s'arrêta : c'était la voix de Tinamer.

— Tinamer, où es-tu ?

— Jean Goupil, je suis ici, tout près de toi. Je t'attendais, mais je pensais que tu m'avais oubliée.

— Tinamer, où es-tu ?

— Je tourne autour de toi, grand nigaud. Tâche au moins de m'attraper.

Jean Goupil attrapa Tinamer Poulin et ils restèrent longtemps à s'embrasser. La vilaine chaise de maréchal ferrant était toute proche et il ne leur aurait fallu qu'un instant pour être de nouveau ensemble dans les îles du Sud. Mais, après s'être dépris d'elle, Jean Goupil la tirait par la main.

— Où m'emmènes-tu, Jean Goupil ?

— Viens, Tinamer.

— La maison est pleine de gens qui rient trop fort, Jean Goupil.

— Qui te dit que je t'emmène à la maison, Tinamer Poulin?

Ils passèrent près de la maison et continuèrent jusqu'au village qui restait illuminé plus tard que d'ordinaire à cause de la nomination de Jean Goupil. Au presbytère, on veillait aussi. Quand la servante aperçut le nouveau sénateur, elle l'étreignit si fort qu'il en eut le visage tout rouge. Derrière la servante se tenait le révérend curé Lagueux qui, lui aussi, devint tout rouge quand il aperçut Jean Goupil, car il se souvenait du billet de la maquerelle.

— Monsieur le curé, je vous présente mon fiancé, le Sénateur Jean Goupil.

— Ma petite Tinamer, je le connaissais déjà.

— Mon Révérend, dès mon arrivée d'Ottawa, nous sommes venus au presbytère. Vous ne pourriez pas me faire un exprès pour nous marier au plus vite, Mademoiselle Tinamer Poulin et moi? Vous savez, les intérêts supérieurs du pays…

— Monsieur le Sénateur, vous n'auriez pas de liens de parenté avec Mademoiselle Poulin?

— Comment en aurais-je? Je suis enfant illégitime, abandonné de père et de mère.

— Dans ce cas… Diable! l'évêque qui est un couche-tôt.

L'évêque aussi veillait en l'honneur de la nomination de Jean Goupil au Sénat. Il accorda toutes les permissions et le mariage de Tinamer, fille du pape Poulin et de la Romaine, avec Jean Goupil eut lieu le lendemain avec un concours de population comme il s'en voit rarement. Et ils furent longtemps heureux. Le Sénateur était en vie qu'on le croyait mort, et mort, qu'on le croyait encore en vie. Tinamer lui survécut quelques mois.

IV

Jack O'Rooke, suppôt de Satan, était de toutes les Églises : de l'Église d'Angleterre, des p'tites sectes, de l'Église de Rome et même de la Loge d'Orange. Une nuit, deux compatriotes vinrent le chercher à la taverne Neptune. On le retrouva, vilainement mort, le lendemain matin, dans la rue de la Friponne. La police y vit un règlement de comptes. Le diable, pour sa part, dans l'arrière-cuisine, se frotta les mains :

— En voilà un, disait-il, qui ira dans la fosse commune, antichambre des flammes éternelles.

Il se trompa : le corps de Jack O'Rooke fut réclamé par une parente de Québec, du nom de Sally O'Rooke, qui était considérée comme une bienfaitrice de l'église Saint-Patrick, aux approches des plaines d'Abraham, qui est entourée d'un cimetière opulent, dont les pierres tombales rappellent toutes l'Île-des-Saints[74], où l'on trouve nombre de belles croix celtiques. On supposa qu'en bon Irlandais Jack O'Rooke avant de mourir avait récité son oraison ; il eut les meilleures funérailles du monde et fut enterré en terre bénie.

---

74. L'Irlande connue un certain temps comme « l'Île des Saints et des Savants ».

Le matin même de la mort de Jack O'Rooke, la porte de l'arrière-cuisine de la taverne Neptune s'ouvrit et, dans l'embrasure, un solide gaillard, portant le petit tablier de maître tavernier, dit au diable :

— Que désire votre Excellence pour son petit déjeuner ?

— Comme d'habitude, dit le diable, du gruau pris au fond, du thé et deux biscuits matelots. Tu remplaces Jack O'Rooke ?

— Oui, Excellence.

— Ton nom ?

— Le Do Boulé.

Ce fut ainsi que le Do, après avoir été un petit rabatteur, devint le patron de la taverne Neptune, dans le port de Montréal, et le second de Son Excellence le Diable. C'était un garçon ambitieux, d'une famille nombreuse et respectée. La taverne Neptune ne représentait pour lui qu'un pis-aller ; il cherchait à mettre la main sur la chaise du maréchal ferrant que le diable avait abandonnée, nombre d'années auparavant chez Jean Goupil, le premier du nom, à Cap-Chat, en Gaspésie, et qu'il s'évertuait depuis à dire qu'elle avait été jetée de la falaise sur le plein et emportée par la mer. Le curé Godfrey en aurait donné l'ordre à son sacristain Eméry Samuel, et celui-ci se serait empressé de l'exécuter. Ça, le Do Boulé n'en était nullement certain, car Eméry Samuel, maintenant en exil dans la Colombière, avait été longtemps un tribun communiste redouté de toutes les autorités. De plus, un orphelin du nom de Jean Goupil était aujourd'hui sénateur et ce n'est pas l'habitude, en Canada, de nommer au Sénat des orphelins. Mais le diable, cruellement dupé par le premier Jean Goupil, s'était fait un dogme de la disparition de son véhicule volant.

La surprise du Do Boulé fut grande lorsque son maître le manda et lui dit :

— Le Do, sois franc avec moi et avoue que ces Canadiens, qu'on commence à appeler Québécois, me prennent pour un imbécile. Ont-ils des difficultés à bâtir une église, ils font de moi un cheval noir et cette bête n'a de cesse que l'église soit finie.

— Oui, Excellence, j'ai souvent entendu raconter cette histoire.

— Ont-ils de la misère à contrôler leurs enfants ou leurs jeunesses, ils ont un croquemitaine tout désigné : c'est moi.

— Oui, Excellence.

— Avoue, le Do Boulé, quand tu as pris la succession de Jack O'Rooke, tu t'es dit que ce serait toi, le boss de la taverne Neptune, étant donné que le type de l'arrière-cuisine, il ne pensait qu'à faire rouler sur la table ses dés pipés.

— J'ai pu le penser, Excellence, mais il n'est pas dit que je ne me sois pas trompé.

— Do Boulé, je dis et répète que la chaise de maréchal ferrant s'est abîmée dans la mer. Le crois-tu ?

— Non, Excellence.

— Ma chaise vole depuis que le premier Jean Goupil a fait de moi la plus grande dupe du monde, en me faisant payer son âme, qu'il avait réservée à Dieu, le tricheur ! Un deuxième Jean Goupil a surgi : orphelin, il est devenu sénateur en se servant de ma chaise, ça je le sais… Me prends-tu pour un imbécile, le Do Boulé ?

— Excellence, j'ai changé d'idée.

— Depuis seize ans, la chaise de maréchal ferrant n'a pas volé. Est-ce à dire que le Sénateur Jean Goupil a tenu ses promesses? Il m'a promis de la jeter à la mer. Je n'en suis pas certain du tout. Je ne me fie pas aux Canadiens — ou aux Québécois, si tu le préfères — qui n'ont jamais cherché qu'à m'exploiter. S'il ne s'en est pas servi, c'est tout simplement qu'il n'en a pas besoin. Cet orphelin se repaît dans Tinamer Poulin, qu'il a épousée immédiatement après sa nomination au Sénat. Ils n'ont eu qu'une fille; elle se nomme Jean Goupille et vient d'avoir seize ans. Le bal va recommencer et ton patron, le Do Boulé, sera jugé de nouveau un imbécile.

— Excellence, le Sénateur a un pied-à-terre à Ottawa. Le reste du temps, il vit à Sainte-Catherine-de-Portneuf, où il s'est acheté la maison des Garneau. S'il a gardé la chaise de maréchal ferrant, ne se tenant pas obligé à sa parole envers vous, Excellence, elle doit se trouver dans un des hangars.

— Ou dans le grenier du supposé manoir qui, soit dit entre nous, ne vaut pas une vieille maison d'habitant sur l'île d'Orléans.

— Excellence, continuez de faire rouler vos dés: je vais aller faire une petite inspection du côté de Sainte-Catherine.

Le manoir est sur une colline boisée qui le cache du village. Le Sénateur était assis sur la pelouse avec sa Tinamer, la sénatrice, quand le Do Boulé s'amena, disant qu'il avait besoin du gouvernement pour se tirer d'une mauvaise affaire. Jean Goupille pêchait de la barbotte à l'embouchure de la décharge du lac Saint-Joseph et de la rivière Jacques-Cartier. Du moins l'avait-elle dit à ses parents. Il est possible aussi qu'elle couraillait dans les champs avec les garçons du village.

Le Sénateur lui dit :

— Pas besoin d'explications, ta mauvaise affaire, je la connais. Dis-moi : comment se porte ton cher ami Jack O'Rooke ?

— Plutôt mal, Monsieur le Sénateur : aux dernières nouvelles, il se trouvait dans le cimetière Saint-Patrick, à Québec.

— Eh ! le Do, ce sont plutôt de bonnes nouvelles : je n'aurais jamais cru qu'il serait entré là. Le site est beau. Si tu as du temps de reste, je t'emmènerai faire une petite prière sur sa tombe.

— Ouais, fit le Do, j'ai comme l'impression que Monsieur le Sénateur Jean Goupil me voit venir.

— Pauvre niais, je t'ai déjà vu : tu n'étais alors qu'un petit rabatteur pour le compte de qui l'on sait, sous la tutelle de feu Jack O'Rooke. Et tu te tenais dans les gares. C'est toi qui as levé le pauvre Eméry Samuel.

— Très bien Sénateur, je vais négocier avec vous.

Le Sénateur Jean Goupil se leva et fit quelques pas sur le gazon. Tinamer lui dit :

— Voyons, Jean, il fait grand soleil. Ne t'énerve pas pour ce Monsieur qui, entre nous, ne paie pas d'apparence.

— Tinamer, c'est le Do Boulé, le successeur de Jack O'Rooke, qui voudrait bien mettre la main sur la chaise du maréchal ferrant qui, dans l'espace d'un instant, nous emmenait dans les îles qui voguaient sur la mer du Sud. T'en souvient-il, Tinamer ?

— Je m'en souviens, Jean Goupil, mais quel besoin en avons-nous, à présent que nous sommes mariés et heureux ?

— Qu'as-tu promis à ton boss, le Do Boulé?

— Je lui ai promis de lui rapporter la chaise volante.

— Est-il toujours un grand voyageur?

— Que je sache, depuis qu'il est revenu penaud et déconfit de Cap-Chat, il n'a point quitté l'arrière-cuisine de la taverne Neptune, à Montréal.

— Le Do Boulé, je pourrais peut-être t'accommoder: un artisan de Sainte-Catherine m'a fabriqué une copie de la chaise du maréchal ferrant; elle est si ressemblante que je ne la distingue pas de l'originale. Tu la rapportes à ton boss et tout finit là.

Le Sénateur Jean Goupil demanda à l'un de ses serviteurs de lui sortir les deux vilaines chaises de maréchal ferrant qui se trouvaient dans le grenier du hangar.

— Moi-même, je ne parviens pas à les distinguer l'une de l'autre. Je n'ai qu'une chose à faire: les essayer.

Le Sénateur de s'asseoir sur la première: elle ne broncha pas; sur la deuxième: il monta dans le ciel avec la vitesse de l'éclair. Il en profita pour jeter un coup d'œil sur la campagne de Sainte-Catherine: il aperçut Jean Goupille, sa fille, qui était censée pêcher la barbotte, et qui courait dans les champs avec une bande de garçons. Il redescendit aussitôt.

— Le Do, il y a deux citoyens dans le monde qui peuvent utiliser ce véhicule: ton boss et moi. Tous les autres, s'assoyant sur la chaise, monteraient dans l'air et ne pourraient plus s'arrêter. C'est pour cela que je ne t'ai pas demandé de l'essayer.

Le Do remercia la sénatrice et le sénateur de leur accueil, puis, s'emparant d'une des deux chaises, il partit. Il n'avait pas fait deux pas:

— Le Do Boulé !

Il s'arrêta.

— Le Do, ne me prends pas pour un imbécile parce que je suis sénateur. N'oublie pas que je suis orphelin de père et de mère, abandonné après ma naissance contre une des portes latérales de la basilique de Québec, et que néanmoins j'ai été nommé. Le Do Boulé, jamais plus de ça entre toi et moi ! Sache que tu n'es pas assez fort pour me tromper.

Le Do prit l'autre chaise, salua la sénatrice et le sénateur, s'engagea par le petit chemin de descente et s'en alla.

— Un assez beau garçon, dit Tinamer.

— Tous les Boulé de Petite-Vallée sont ainsi faits, excepté que les autres sont plus forts que lui, fort surtout dans la finesse.

De retour à la taverne Neptune.

— Excellence, la voici, votre vilaine chaise de maréchal ferrant.

— Mets-la dans l'armoire.

Ce que fit le Do.

— Une petite partie pour te remettre de tes fatigues.

— C'est une chaise qui n'est pas fatigante pantoute.

— Comment se fait-il, le Do, qu'il t'a fallu deux jours pour aller la chercher ?

— J'en ai profité pour descendre à Petite-Vallée. Il y avait si longtemps que je n'avais pas embrassé ma vieille mère et salué mon vieux père.

— Une petite partie alors pour célébrer cet heureux voyage ?

Le Do tapa du pied.

— Écoutez, vous, le Diable, vous ne me prendrez jamais à faire une partie avec vous.

— Pourquoi donc, le Do? Est-ce que par hasard tu n'aurais pas confiance en moi?

— Vos maudits dés, ils sont pipés. Et puis, Excellence de crotte, depuis quand est-il recommandé de faire confiance au diable?

Le diable regarda le Do Boulé de ses beaux yeux tristes.

— Jack O'Rooke au moins était plus poli que toi.

— Allez donc le chercher, puisqu'il était si poli que ça, dans le cimetière Saint-Patrick, à Québec!

— Lui, en terre bénie! C'était le plus grand chenapan de la terre. On aura tout vu!

— Vos considérations sur Jack O'Rooke, Excellence, ne m'intéressent pas.

— Une petite partie pour chasser la mauvaise humeur, le Do Boulé?

— Une partie avec vous, jamais!

— Ne comprends-tu pas que je m'ennuie?

Le Do paya d'audace.

— Prenez votre chaise, allez faire un tour… Et puis, que vous vous ennuyiez ou que vous ne vous ennuyiez pas, qu'est-ce que ça peut me faire, Diable?

Le diable fit rouler ses dés sur la table.

— Au moins toi, le Do, tu es franc! Tandis qu'avec ces fripouilles des vieux pays[75]… Sais-tu qu'ils me baisaient le cul?

— Ils vous baisaient le cul, Excellence!

— Oui, et ils disaient qu'ils aimaient ça, le Do.

— Ça vous faisait plaisir, Excellence?

— Tu sais, mon garçon, quand on est le diable…

— Ça vous faisait plaisir!

---

75. Ceux de l'Europe occidentale, en particulier, la France.

— Ils avaient les lèvres plus frettes que je n'avais le cul.

— Ça vous faisait plaisir, Excellence?

— Ça me faisait plaisir, le Do.

— Eh bien, je pense que nous avons des goûts différents.

— Nous nous en accorderons que mieux, le Do Boulé.

Le Do retourna à la caisse, dans la taverne.

— Maudit vieux cochon refroidi!

— À qui parlez-vous, Monsieur le Do, demanda un serveur.

— Je me parle tout seul, dit le Do.

— J'aime mieux ça, dit le serveur.

Il y avait dans la taverne, ce jour-là, des marins venus de pays pensifs, slaves ou scandinaves, qui gardaient des visages enfantins et buvaient ferme. Le Do n'arrêtait pas de faire sonner sa caisse. C'était un homme simple; il ne tarda pas à oublier la chaise du maréchal ferrant qu'il avait refilée à son patron, le diable, et qui ne volait pas. Pendant ce temps, à Sainte-Catherine, Jean Goupil disait à sa femme:

— Tinamer, je ne sais pas quelle sorte de fille tu m'as tricotée; elle nous demande pour aller pêcher la barbotte et court dans les champs avec sa bande de gars. Quand ce n'est pas ça, c'est autre chose dans le genre: elle grimpe dans les arbres, elle est fourrée partout. Es-tu bien sûre que c'est une fille que tu m'as faite?

— Jean Goupil, tu as beau être sénateur, ça ne m'impressionne pas et je t'ai fait une fille comme je les aime.

— Au moins apprends-lui à dire «Jésus! Marie! Joseph!» en cas de danger. À fouiller partout comme elle fait, elle finira par mettre la main sur la vilaine chaise du maréchal ferrant. Et nous la perdrons à jamais, elle, notre enfant unique. Y penses-tu bien, Tinamer Poulin, la fille du pape et de la Romaine?

— Tu as raison, Sénateur, je vais lui apprendre à invoquer la Sainte Famille dès ce soir.

Et le soir vint. Jean Goupille redevint une toute petite fille. Tinamer la prit sur elle et lui dit:

— Écoute-moi bien; contre les dangers de l'eau, on ne peut pas grand-chose: tu te noies, un point c'est tout. D'ailleurs ce sont des dangers que tu n'encoures guère à ce que j'ai appris, plus encline à pêcher la barbotte en courant dans les champs, au milieu d'une bande de garçons, qu'en restant au bord de la rivière, au bout de ta ligne.

— Maman, les barbottes ont de vilains dards tandis que les garçons, ils sont doux tout partout.

— Jean Goupille, laisse-moi avec tes garçons qui, à t'entendre parler, ont de la gentillesse autant que les filles: j'ai à te parler de l'air.

— Les filles, c'est pire que de la volaille: elles n'ont rien droit de faire.

— Jean Goupille, laisse-moi avec tes filles. Après tout, tu en es une et tu fais ce qui te plaît. Je te parle de l'air: si jamais tu te trouvais rendue très haut dans le ciel…

— Que je serais contente!

— Et le repas qui attend, petite misérable! Il ne s'agit pas de te trimbaler en l'air, mais d'être à table à l'heure dite… La prochaine fois que tu seras en retard, gare à toi!

— Que ferais-je si je suis dans l'air, emportée par le vent?

— Tu diras : « Jésus ! Marie ! Joseph ! »

— Et de quoi j'aurai l'air ?

— Personne ne te verra et de la sorte tu arriveras à temps pour le repas.

— Je dirai : « Jésus ! Marie ! Joseph ! » Maintenant, laisse-moi dormir, Tinamer.

Jean Goupille rêva d'un aigle qui volait haut, à grands coups de ses ailes largement déployées. Ce rêve la combla de bonheur. Le lendemain matin, elle était encore heureuse. Pourtant, la journée s'annonçait morose. Tous ses camarades de jeux seraient retenus à l'église pour se préparer à la venue prochaine de l'évêque. Au milieu de l'avant-midi, n'en pouvant plus d'ennui, elle traversa le grand pont de la rivière Jacques-Cartier, au-delà duquel se trouvait l'église, à gauche. Tous ses camarades avaient les yeux baissés, l'air dévot comme des p'tites saintes nitouches. Elle revint chez elle sans avoir pu en débaucher un et, pour s'occuper, se mit à fureter dans le hangar. Dans le grenier, attachée aux combles, difficile à rejoindre, il y avait une vieille chaise, une chaise comme on en voit chez le maréchal ferrant, peinte à la suie, calcinée par endroits, une chaise qui présentait quelque intérêt seulement parce qu'elle n'était guère accessible. Après s'être donné beaucoup de mal, Jean Goupille la sortit enfin dans la cour et se laissa tomber assise dessus, à bout de forces. Tout aussitôt, la chaise monta droit dans le ciel ; elle montait, elle montait et rien sans doute ne l'aurait empêchée de continuer de monter si, de peur d'être en retard au dîner, Jean Goupille n'avait prononcé les trois noms sacrés de Jésus, de Marie et de Joseph. Alors, la chaise se mit à redescendre par gravitation, lentement, et le vent la poussa de l'autre côté de la rivière. Les garçons sortaient de l'église. Juste à ce moment, Jean Goupille descendit au milieu d'eux. Plusieurs eurent peur et se sauvèrent à la maison. Ses camarades, qui étaient les plus hardis, revinrent vite de leur surprise et se mirent à l'acclamer, puis tinrent à la ramener chez elle, de l'autre côté de la rivière, sur une butte boisée. Le Sénateur s'adonnait à regarder par la fenêtre du côté de la cour; il vit donc sa fille, traînant une vilaine chaise qu'il connaissait bien, apparaître au milieu de garçons enthousiastes dont plusieurs ne cessaient de lancer leur casquette en l'air et de la rattraper. Il se dit :

— Ça y est : ma fille Jean Goupille s'est payé un petit premier voyage dans le ciel.

Elle alla remettre la chaise au grenier du hangar, salua tous ses amis et se dépêcha à entrer. Sa mère s'écria :

— Tu es chanceuse, Jean Goupille : une minute de plus et tu étais en retard !

De son côté, le Sénateur se demandait s'il n'aurait pas mieux fait de remettre au diable son véhicule volant pour n'en garder que le simulacre. D'ailleurs, le diable l'aurait-il eue ? Le Do Boulé l'aurait sans doute gardée pour lui.

— Qu'as-tu donc, mon mari ? demanda Tinamer.

— Je me pose des questions comme un sénateur se doit d'en poser à un sénateur. Et je réponds que j'ai bien fait.

— Comme de bien entendu, mon cher mari.

— Voici le problème : nous avons un petit être qui nous est cher : faut-il lui couper les bras pour l'empêcher de se faire mal et le garder sous notre dépendance ?

— Tu es fou, Sénateur : il faut lui laisser tous ses membres, lui apprendre à les développer, lui en ajouter d'autres s'il est possible, le libérer de notre tutelle, le perdre, ce pauvre petit, pour qu'il se retrouve en possession de lui-même.

Ainsi parla de façon catégorique, avec une sourde passion, Tinamer Goupil, la fille du pape Poulin et de la Romaine.

— De qui parlez-vous ? demanda Jean Goupille.

— De personne en particulier, ma fille. Nous traitons de problèmes moraux qui peuvent intéresser un homme de la qualité de ton père, membre du Sénat.

La petite Jean Goupille ne pensa pas moins, quant-et-elle, que sa mère était partisane absolue de sa liberté, dût-elle en souffrir, alors que son père, le Sénateur, restait craintif et se demandait si, par quelques petites mutilations, il n'assurerait pas une meilleure protection à sa fille unique.

— Sénateur, je me demande parfois si tu ne serais pas indigne de la fonction que tu occupes.

— Tinamer, tu as beau être la fille du pape Poulin et de la Romaine, il n'a pas été inutile d'apprendre au petit être en question à invoquer la Sainte Famille en temps et lieu.

Jean Goupille baissa les yeux dans son assiette, comprenant que ses père et mère se disputaient à cause d'elle. À sa grande surprise, loin d'être timorée comme elle le lui avait déjà paru, sa mère favorisait toutes les audaces tandis que son père allait beaucoup moins loin, porté à assujettir sa fille.

— Vous nous avez dominées ainsi, pour nous protéger contre nous-mêmes tandis que vous vous accordiez toute liberté. Puisqu'il est question d'une chaise volante, je montrerai à Jean Goupille, ma fille, à s'en servir comme tu t'en es servi, Sénateur.

— Ce n'est pas grand-chose, ma pauvre mère : on monte et puis on descend.

— C'est un véhicule volant qui te mène où tu veux dans l'espace d'un instant. Sais-tu où j'ai embrassé ton pauvre père pour la première fois ? Dans une île des mers du Sud.

— Jean Goupille, ma pauvre fille : je ne sais pas au juste quelle rage s'est emparée de ta mère. Puisqu'elle insiste pour te lancer à l'aventure, toi qui viens à peine d'avoir seize ans…

— Sénateur du diable, je ne les avais pas encore quand tu m'as emmenée d'un petit village de Dorchester dans les Antilles ! Tu ne te rappelles donc rien ?

— J'en avais oublié un peu, Tinamer… Bon, bon, Jean Goupille, puisqu'il en est ainsi, dès demain je t'expliquerai comment fonctionne la chaise de maréchal ferrant.

Cela n'était pas très malin. Après quoi, le Sénateur s'occupa surtout des fleurs autour de la vieille maison. Quand Tinamer passait dans la cour, plus avantageuse qu'une reine, il détournait la tête. Or, un jour, un jeune homme costaud se présenta. Il prit le Sénateur pour le jardinier et frappa à la maison. Ce fut Tinamer qui vint lui répondre. Il resta interloqué devant elle. Tout ce qu'il parvint à dire fut qu'il se nommait le Do Boulé et venait de Petite-Vallée, près de La Frégate, en Gaspésie. Alors Tinamer envoya ses servantes faire le tri des patates dans la cave et demanda au Do Boulé, qu'elle trouvait beau garçon comme il ne s'en fait pas au monde, de venir visiter la maison. Quand ils en eurent fait le tour, le Do n'était plus intimidé du tout ; il serait volontiers resté toute la journée, comme un ours de peluche dans un fauteuil du salon, à admirer cette fille d'un pape de Dorchester et d'une Romaine, cette épouse d'un Sénateur qui lui avait accordé ses faveurs.

— Écoute, le Do Boulé, ce qui a eu lieu a eu lieu. Tu es vaillant, costaud et bien bâti ; je suis contente de toi, mais cette fois suffira. Si je t'ai essayé, c'est que tu m'as semblé quelqu'un de sérieux et qu'une mère ne doit pas se fier aux apparences quand elle n'a qu'une fille à marier.

Le Do Boulé se rappela alors qu'il n'était venu de Montréal à Sainte-Catherine que pour subtiliser une chaise volante. Il demanda à Tinamer Goupil, la sénatrice, où il pourrait trouver sa fille. Elle lui répondit :

— Mon pauvre petit jeune homme, elle est toujours dans les champs avec une meute de garçons autour d'elle.

— A-t-elle la chaise ?

— Bien sûr qu'elle l'a, cette maudite chaise ! Elle vole avec l'un ; elle vole avec l'autre. La seule chose que je peux te dire, jeune homme, c'est qu'elle ne se prive pas, ma fille, Jean Goupille. Et tu sauras une chose, c'est que je l'approuve : elle n'a pas encore trouvé chaussure à son pied… Maintenant, tu vas sortir d'ici : j'ai envoyé les servantes trier les patates dans la cave, elles sont à la veille de remonter.

Le Do Boulé s'inclina.

— Madame la sénatrice…

Elle, toute droite et riante, lui coupa le sifflet :

— Salut, le Do Boulé !

Il allait sortir, elle avait avancé, elle se trouvait dans son dos, un petit poignard à la main :

— Cré bateau! le Do, tu ne serais pas malaisé à envoyer rejoindre Jack O'Rooke en dessous de la terre.

Lui, stupidement :

— Faites-le, Madame Tinamer, et je mourrai de joie.

La sénatrice se mit à rire.

— Sais-tu, le Do, que tu es encore dans le lait ?

Elle ajouta sérieusement :

— Écoute-moi bien : je compte sur toi pour ranger ma fille, Jean Goupille, et non pour te voir sauver avec une vilaine chaise de maréchal ferrant, dont tu ne sais pas te servir, comme un voleur de poules. Tu peux trouver ton bien ici sans rien nous ôter. C'est compris, le Do?

— C'est compris, Madame Tinamer.

Il sortit, croisant le Sénateur, qu'il salua bien respectueusement.

— Qui est ce garçon, Tinamer?

— Le fils d'un gros habitant qui contrôle la moitié d'une paroisse. Il est parti content, son père le sera, de même que cette moitié de paroisse. Et Monsieur le Sénateur n'a pas été dérangé dans sa manie des fleurs.

— Sais-tu une chose, Tinamer? Sais-tu qui aurait dû être nommé au Sénat?

— C'est moi, Jean Goupil.

— Possiblement, dit-il. Et il alla ranger ses instruments.

Dans les champs, les garçons virent venir à eux un homme bien roulé, ce qu'on appelle un costaud, et s'égaillèrent comme une bande de linottes. Quand Jean Goupille revint du Sud, debout derrière la chaise de maréchal ferrant et ramenant un garçon, trop niais pour apprécier les prodiges et les caresses dont il avait été favorisé, le Do l'attendait. Croyant qu'il était de la bande, elle atterrit juste devant lui. Le niais prit les jambes à son cou.

— Il court fort, hein? dit le Do Boulé.

— Qui es-tu, toi, pour faire peur à mes amis? demanda Jean Goupille.

— Qui es-tu, toi, petite, pour rassembler autour de toi une bande de chiens?

Tout en lui posant la question, le Do Boulé apercevait en elle en plus jeune, en plus ferme, la fille de la sénatrice…

— Je fais ce qui me plaît, cher gros niaiseux… Comment t'appelles-tu?

— Le Do Boulé, Mademoiselle Jean Goupille.

— Ils se sont tous sauvés. C'est vrai qu'ils sont un peu chiens. Alors, Monsieur le Do Boulé, puisque nous restons seuls, embarque dans ma voiture.

L'instant suivant, ils se trouvaient sur une plage déserte de l'île d'Haïti, et Jean Goupille fut à même d'apprécier la supériorité du Do Boulé sur ses pauvres petits compagnons. De son côté, lui, il retrouvait en plus neufs, en plus naïfs et mieux chantés, les plaisirs qu'il avait connus dans les bras de la sénatrice. Jean Goupille lui dit:

— Monsieur le Do, je ne suis pas encore émancipée. Mon père ne me cause pas trop d'ennuis, mais j'ai une terrible mère à qui je n'en passe pas gros comme ça. Cette illustre Tinamer a décidé que je devais être à table à l'heure dite. Mon grand, je vais être à présent obligée d'aller te reconduire pour ne pas arriver en retard.

— Jean Goupille, si tu venais me chercher la nuit, nous disposerions de plus de temps pour nous aimer.

— Le Do, je ne suis pas une idiote, j'y avais pensé, mais tous mes chiens, comme tu dis si bien, ont peur des ténèbres… Je vais te reconduire et demain, entre chien et loup, je serai à la même place, pour t'attendre.

— Jean Goupille, tu ne voudrais pas que je gouverne la chaise?

Le Do n'était pas encore entièrement converti, mais il n'eut pas formulé cette demande qu'il revit la sénatrice, le poignard levé. Vite, il se reprit.

— Non, il vaut mieux que tu la gouvernes toi-même, Jean Goupille. Tu sais comment le faire, moi je l'ignore.

La vilaine chaise de maréchal ferrant fit un détour par Montréal. Elle se posa sur le toit de la taverne Neptune. Jean Goupille, repartant aussitôt pour Sainte-Catherine, cria au Do Boulé:

— À ce soir, chéri, entre chien et loup.

Et elle arriva à la maison pour le repas. La Sénatrice lui demanda si elle s'était bien amusée.

— Oui, maman.

— T'es-tu fait de nouveaux amis?

— Pourquoi me demandes-tu ça? J'en ai déjà trop: je suis presquement comme la reine des chiens.

— Alors, Jean Goupille, c'est que tu viens de t'en faire un vrai, cette fois.

Le Sénateur leva le nez de son assiette et dit à sa femme de se mêler de ses affaires.

— Tinamer Poulin, fille du pape et de la Romaine, tu n'as pas le droit d'abuser de ta fille, ma bien-aimée Jean Goupille.

À sa grande surprise, il s'entendit répondre:

— Vous parlez d'or, mon très cher ami.

Le soir, entre chien et loup, comme il avait été convenu, Jean Goupille descendit sur le toit de la taverne Neptune. Le Do Boulé l'attendait. Il avait oublié d'ôter son tablier de tavernier.

— Le Do, mon ami, ôte-moi ce tablier-là.

Ce que fit le Do. Il riait en silence.

— Qu'as-tu à rire, le Do, mon ami?

— Je ris d'abord parce que je suis content, parce que j'avais bien peur que tu ne viennes pas, Jean Goupille, ma bouffraise[76]. Ensuite, parce que j'en connais un qui ne serait pas content de te savoir sur le toit de son établissement.

— Assez palabré, le Do Boulé: embarque dans ma voiture.

Le Do ne demanda pas à la gouverner, cette fois-là ni aucune autre fois par la suite. Il était tombé amoureux de Jean Goupille et ne connaissait pas d'autre bonheur que de subir sa loi. Il n'en recherchait pas un autre, non plus. Après les cris rauques de Jack O'Rooke, sa bonhomie avait transformé la taverne Neptune; on ne s'y battait plus guère.

Le diable lui disait:

— Continue, le Do, et ce sera bientôt une institution de bienfaisance.

— Fais rouler tes dés, bonhomme, et ne viens pas m'achaler.

— Eh, le Do! On dirait que je ne suis plus le vieux Monsieur de l'arrière-cuisine que tu traitais avec bien du respect, mon Excellence par-ci, mon Excellence par-là.

---

76. *Bougresse.*

— Je ne m'étais pas encore déshabitué du curé Bugeaud[77].

— Maintenant tu n'y penses plus?

— Maintenant, mon bonhomme, je me suis rendu compte que tu n'étais pas grand-chose dans le monde, un tricheur, c'est tout.

Le diable considéra le Do Boulé de ses yeux tristes dont le regard, comme une lueur sous les eaux mortes, était si beau.

— Toi, mon garçon; je vais te dire une chose: tu parles trop.

Ce soir-là, le Do monta sur le toit de la taverne Neptune et, quand Jean Goupille fut arrivée, il lui dit:

— Janot-Janette, ma bien-aimée, je t'ai caché une chose, elle est de conséquence; tiens-toi bien les oreilles.

— Le Do, tu en aimerais une autre!

— Janot-Janette, je te le jure par ta mère Tinamer: je n'aime que toi.

— Bah! tu parles alors pour ne rien dire: tu ne m'as rien caché.

— Écoute-moi, Jean Goupille, écoute-moi, c'est grave: j'ai pour patron le diable et, comme il commence à se douter de quelque chose, je pense qu'il vaut mieux que je reste à la taverne, ce soir.

Jean Goupille commença par rire.

— Un fameux diable, ton patron: ça fait déjà plus de trois mois que nous nous aimons et le voici qui commence, le gros malin, à se douter de quelque chose.

---

77. Durant les années 1930, le curé de Grande-Vallée, Alexis *Bujold*, participa au développement de coopératives forestières avec l'économiste Esdras Minville (1896-1975).

Puis elle se mit à pleurer.

— Le Do, tu n'es pas pour me renvoyer allège, sans toi, à Sainte-Catherine.

Le Do Boulé se sentit infiniment malheureux et, comparé à ce chagrin-là, le poignard que lui avait braqué dans le dos Tinamer Goupil, tout éloquent qu'il fût, n'était rien du tout.

— Jean Goupille, une seule fois, je te le jure.

Son amante n'insista pas : tout aussitôt, elle disparut sur sa vilaine chaise de maréchal ferrant. Mais on connut, du soir jusqu'au matin, un Do Boulé d'une humeur massacrante, comme on ne l'imaginait pas. À un moment donné, il entre dans l'arrière-cuisine ; le diable fait rouler ses dés comme d'ordinaire, sa jambe de bouc étendue. Que fait le Do Boulé ? Il s'approche, mine de rien, lève le talon et le lui rabat de toutes ses forces sur les ergots. Le diable hurla sur le coup et se mit ensuite à geindre.

— Si je parle trop, vieux salaud, toi, tu te lamentes comme une femme qui va faire un revira[78].

Deux heures après, il geignait encore un petit peu. Le Do Boulé vint s'asseoir en face de lui.

— On va fermer bientôt : il n'y a presque plus personne dans la taverne et le prochain cargo n'arrivera pas avant demain soir.

Le Do Boulé se tut. Alors, le diable, le regardant de ses beaux yeux, lui dit :

— Demain soir, fait descendre Jean Goupille. C'est avec elle que je veux négocier.

---

78. Expression liée à la fête de Saint-Martin, en Suisse, où les convives mangent le cochon, du groin à la queue. Le revira (« on remet ça ») se déroule la semaine suivante.

— Elle, la perle du monde, négocier avec un vieux tricheur comme toi : jamais !

— Le Do Boulé, voici ton salaire. Prends ton butin et déguerpis d'ici dedans dès cette nuit. Quand elle viendra demain soir sur le toit de ma taverne, ta petite perle du monde, j'aurai des costauds pour s'occuper d'elle.

— Si tu penses que je vais te laisser faire vieux salaud, tu te trompes. Ça s'adonne que tous les Boulé des Bas seront à Montréal, demain soir. On verra bien qui sont les costauds, les tiens ou les miens.

Le diable fit rouler ses dés et, sans lever les yeux, demanda :

— Est-ce que Jean Goupille, ta bien-aimée, est au courant de la petite aventure que tu as eue, en arrivant à Sainte-Catherine, pendant que les servantes descendaient dans le caveau trier les patates et que le Sénateur s'occupait de ses fleurs, au-dehors, avec Tinamer Goupil, sa mère ?

Il y eut un moment de silence.

— J'ai l'impression, dit le Do Boulé, que vous avez encore vos facultés et que j'ai commis une erreur en vous dépréciant.

— Tiens ! On me vouvoie maintenant.

— Oui, Monsieur, on vous vouvoie, et c'est avec vous, sans être prévenue, que Jean Goupille descendra traiter.

— Ti-gars, tu m'as quand même fait mal à la patte !

— Monsieur, excusez-moi : je n'étais pas particulièrement content d'avoir renoncé à une nuit d'amour pour vous.

— Va, le Do, je te comprends.

Or donc, le lendemain, au soir, entre chien et loup, lorsque Jean Goupille survint sur le toit de la taverne Neptune, le Do Boulé, son amoureux, au lieu de s'asseoir dans la chaise du maréchal ferrant et d'aller passer la nuit avec elle dans une île des mers du Sud, lui apprit que son patron l'attendait, en bas, dans l'arrière-cuisine, pour traiter avec elle.

— Tu as un patron, toi, le Do?

— Un semblant de patron. Il a un pied de bouc. C'est le diable... Lève la trappe, descends dans l'escalier en serpentin. Rendue dans la grand'salle, n'écoute pas les baveux, Jean Goupille, suis le comptoir, ouvre deux portes. Le patron est là, qui t'attend, derrière la deuxième.

— Qu'est-ce qu'il a bien à me dire, le Do?

— Ça, Jean Goupille, je n'en sais absolument rien... Va, fais vite. Je t'attends ici, en haut.

Dans la taverne, il n'y avait, ce soir-là, que des marins soviétiques et scandinaves, tous des géants avec des visages d'enfants. Par l'escalier de fer en serpentin, ils virent descendre une fille dont ils rêvaient depuis toujours, dans tous les ports du monde, en buvant leur bière. Aucun d'eux ne bougea, croyant encore rêver. Dès qu'elle eut atteint le plancher de la taverne, Jean Goupille marcha vers l'arrière et disparut derrière la porte de la cuisine.

— Hé! cria quelqu'un dans un coin.

C'était le cuisinier d'un caboteur du Golfe, dont le bateau était reparti et qui se trouvait parmi les nordiques par une sorte de hasard. Les cuisiniers sur les bateaux, dans les chantiers ou dans les restaurants, ne sont jamais des costauds; ils font plutôt dans le genre efféminé. Celui-là n'eut pas crié qu'il se trouva entouré de trois boulés de la parenté du Do. Il comprit qu'il risquait de se retrouver écrabouillé dans la rue des Commissaires et fit signe d'une main tremblante qu'il désirait encore deux bières, deux petites.

Jean Goupille poussa la deuxième porte et se trouva devant un noiraud, à la physionomie assez fine, au regard très beau et triste, qui essaya de se lever par politesse dès qu'il la vit entrer.

— Excuse-moi, petite, ton bel amoureux de Do Boulé m'aurait cassé ma patte de bouc que je n'en serais pas surpris.

— Il a bien fait.

— Petite, pourquoi dis-tu ça? Je vous protège depuis le commencement. Penses-tu que le Do, par lui-même, aurait pensé à se rendre à Sainte-Catherine-de-Portneuf. C'est un village qui peut se trouver sur l'itinéraire d'un grand boutonneux d'étudiant en lettres, pas sur le sien.

Jean Goupille tira la chaise et s'assit en face du diable qui lui tendit ses dés pipés:

— Une partie, petite?

Elle fit rouler les dés; il les fit rouler à son tour, s'appliquant à la laisser gagner. Et elle gagna. Il relança les dés, croyant avoir droit au moins à une partie de revanche. Du travers de la main, elle les jeta par terre:

— Ça suffit, les dés sont pipés, Monsieur le Diable.

— Jean Goupille…

— Ça suffit, j'ai dit.

Le diable la regarda de ses beaux yeux d'eau dormante où persiste une lueur douce, un peu livide, comme après le coucher de soleil.

— Tu me plais, petite. Tu es bien la petite-fille du pape Poulin et de la Romaine.

— Monsieur, assez de salamalecs : de quoi s'agit-il puisque vous avez tenu à traiter avec moi ?

— Petite, j'aime le jardinage et qu'est-ce que je fais ? Depuis que Jean Goupil, le premier du nom, qui fut un grand contrebandier en Gaspésie, m'a roulé comme le dernier des niochons[79], prenant mon argent et sauvant son âme, je me tiens dans cette arrière-cuisine : on ne peut pas dire que je jardine.

Alors, avec le dernier des ravissements, il entendit Jean Goupille lui dire :

— Monsieur, pour jardiner à votre goût, il vous faudrait venir à Sainte-Catherine. Le Sénateur, mon père, a la même passion que vous. Seulement…

— Seulement ?

— Seulement, Monsieur, avec ce vilain pied de bouc, vous vous feriez remarquer à la grand-messe du dimanche.

— Ô Jean Goupille, la digne fille de Tinamer Poulin et d'un pauvre garçon orphelin ! j'admire ta générosité. Certes, je détiens encore quelques petits pouvoirs magiques, mais que suis-je au fond ? Un pauvre vieux diable auquel personne ne croit plus guère. Je ne sais pas comment on se maintient du bord de Dieu, mais du mien on périclite. Tout a été ramené sur Terre. L'au-delà, c'est l'humanité proliférante, et je n'ai plus d'enfer, petite, rien qu'une vieille taverne dans le port de Montréal.

— Mais votre maudite patte de bouc ?

---

79. *Niais, nigaud.*

— Ne dis pas ça, Jean Goupille, elle me fait si mal. Je pense que ton bel amoureux, le Do Boulé, m'en a cassé deux ergots.

— Écoutez-moi, son père : on va vous faire mettre une jambe artificielle. Il y en a de très perfectionnées qui nous viennent justement de Russie.

— Trois médailles au revers de mon veston et j'aurai l'air aussi con que les vétérans de la guerre… Je t'ai bien saisie, Jean Goupille ?

— Oui, Diable…

— Qu'est-ce qu'il y a encore ?

— Il faudra vous situer dans la famille, hein ?

— Bah ! je serai le frère du Sénateur.

Jean Goupille se fâcha.

— Tout le monde sait que mon père est orphelin, abandonné par ses père et mère dès sa naissance. Qu'il soit néanmoins devenu sénateur, ça, c'est très important.

— Personne ne sait qu'il ait été sauvé d'une mort certaine par Messire Louis-Marie Doyon, aumônier à la Crèche.

— Tant mieux pour le Révérend Louis-Marie Doyon ! Si tu le sais, Diable, Dieu le sait aussi. Et Dieu viendra, en personne, se pencher sur son lit de mort et lui dire à l'oreille : «Louis-Marie Doyon, tu as fait là quelque chose de très beau…» Non, pas question que vous soyez le frère du Sénateur, Monsieur le Diable.

— Je te vois venir, toi, petite ; je te vois venir ! Tu voudrais faire de moi un frère de la Romaine.

— Oui-da ![80] C'est en plein ça, Diable.

— Je n'aime pas beaucoup la Romaine.

---

80. *Certainement.*

— Penses-tu que je l'aime?

— Qu'il en soit fait selon votre volonté, Jean Goupille, dit le diable, en prenant un air de Jésus agonisant.

Jean Goupille se leva.

— À présent, je me tire, Monsieur le Diable. Mon amoureux, le Do Boulé, m'attend à côté de la vilaine chaise de maréchal ferrant sur le toit de la taverne. Tel que je le connais, il doit commencer à s'impatienter.

— Tiens! ton père, le Sénateur, ne l'avait pas jetée au fleuve comme il me l'avait promis, cette chaise?

— Diable, si tu penses qu'on est obligé de tenir les promesses qu'on te fait, tu n'es qu'un grand niochon.

Jean Goupille sortit de l'arrière-cuisine de la taverne Neptune, monta dans l'escalier en spirale qu'il y a dans la grand'salle, leva la trappe et disparut sur le toit où le Do Boulé commençait à s'impatienter.

— Garde tes parlottes pour toi. Assieds-toi, le Do. Dans la grande île, près du Cap Haïtien, tu me diras tout ce que tu voudras.

Le Do fut des plus surpris que le patron pensât à se retirer.

— Ainsi donc, il deviendra ton oncle?

— Imbécile, il n'y a plus d'enfer.

Jean Goupille dit au Do Boulé:

— Demain, tu tiendras la taverne. Je déménagerai le bonhomme.

On dut aider le diable à monter sur le toit de la taverne Neptune. Entre chien et loup, Jean Goupille arriva.

— C'est arrangé, dit-elle au diable. Je n'ai même pas eu besoin de mentir. La Romaine a un frère qui n'est pas revenu de la guerre des Boers. On pense que c'est vous, Monsieur le Diable. Un seul inconvénient…

— Je vois déjà : il me faudra aller festoyer sur les dernières hauteurs de la rivière Chaudière.

— Après, vous aurez tout le loisir de jardiner à votre guise. Puisqu'il n'y a plus de ciel ni d'enfer, rien ne saurait trop embellir la planète Terre…

Le diable, debout sur le dernier barreau, en arrière de la vilaine chaise de maréchal ferrant, prit bien une heure pour se rendre de Montréal à Sainte-Catherine. Un instant lui aurait suffi. Tout le reste du temps fut employé à jouer dans le ciel. C'était la première fois que Jean Goupille n'en avait pas la gouverne. Elle arriva ravie à Sainte-Catherine.

— Mon oncle Émile, dit-elle, je me suis rendu compte que c'était votre chaise et que vous la manœuvriez mieux que quiconque.

— Petite, je suis content de te l'entendre dire.

Le Sénateur et sa femme Tinamer accouraient à leur rencontre. Jean Goupille se tourna vers le diable. Son regard s'était assombri, comme si la faible lueur allait s'éteindre sous les eaux mortes.

— Monsieur le Diable, qu'avez-vous donc ?

— Jean Goupille, j'ai une mauvaise nouvelle à t'apprendre : la chaise volante redeviendra bientôt une vilaine chaise de maréchal ferrant.

— Bah ! mon oncle, qu'est-ce que cela peut faire ? Ne serons-nous pas tous heureux alors ?

La jeune fille ajouta :

— Et puis, n'y a-t-il pas les avions, à présent ?

Tinamer et son mari arrivaient. Elle embrassa ce pauvre homme que, si longtemps, on avait cru mort.

— Mon oncle Émile, tu ne peux pas savoir toute la liesse qui règne à Saint-Zacharie.

— D'autant plus, dit le Sénateur, que j'ai obtenu un

octroi spécial du ministère des Anciens Combattants pour vous recevoir avec tout le faste voulu… Dites donc, mon oncle, vous avez là une patte qui donne mauvaise impression.

— Un membre artificiel, mon neveu, que les sorciers zoulous m'ont posé.

— Avant les festivités de Saint-Zacharie, il y aurait peut-être lieu d'aller faire un petit séjour à l'Hôpital général. On a beau ne pas avoir de préjugés, une patte de bouc… c'est toujours une patte de bouc.

En fin d'après-midi, le nouvel oncle dit à Jean Goupille, sa petite-nièce :

— Tu iras me chercher le Do Boulé pour ce soir ; il faut absolument que je lui parle.

Ce que fit Jean Goupille.

— Le Do, les choses ne vont pas à mon goût : ma maudite patte de bouc…

— Mon oncle, excusez-moi de vous en avoir endommagé les ergots.

Le diable dit au Do Boulé :

— Oublie ton oncle Émile pour un quart d'heure : c'est ton boss qui te parle. Écoute bien ce que je vais te dire : va dans le hangar, rapporte une bûche et une hache.

Ce que fit le Do Boulé.

— Maintenant, coupe-moi cette maudite patte de bouc. Jamais les médecins de l'Hôpital général ne voudront y toucher : c'est ma patte naturelle. Coupe-la d'un coup de hache et ils me poseront une jambe artificielle.

— Écoutez, boss : je vous ai écrasé les ergots parce que vous m'aviez gravement contrarié. Je n'ai pas le cœur à vous faire mal sans raison.

Jean Goupille était là. Elle prit la patte de bouc du diable, la plaça sur la bûche et la coupa au-dessus du genou, froidement. Trois semaines plus tard, l'oncle Émile sortait de l'Hôpital général, muni d'une magnifique jambe artificielle comme un héros de guerre. Cette prothèse, bien entendu, ne valait pas sa vilaine patte de bouc. Il s'y habitua quand même et, après les fêtes mémorables qu'on lui fit à Saint-Zacharie, il put se mettre au jardinage, lequel devint peu à peu son unique passion. Il travaillait en compagnie du Sénateur qui, ne sachant ni lire ni écrire, y était plus à son aise qu'au Sénat. Le Do Boulé, ayant loué sa taverne Neptune à un parent de Petite-Vallée, vint rejoindre ses beaux-parents, son oncle Émile et sa femme Jean Goupille, à Sainte-Catherine-de-Portneuf. Il n'avait que peu de goût pour le jardinage. Il se procura trois magnifiques chevaux noirs et l'on pouvait le voir, chaque jour, trotter par les chemins de rang en compagnie de Jean Goupille et de sa mère Tinamer, la fille du pape Poulin et de la Romaine.

Jean Goupille continua de l'emmener dormir durant quelque temps dans les îles des mers du Sud mais, une fois, il arriva que la merveilleuse chaise volante s'éleva de quelques pieds et revint à sa place. Ce n'était plus qu'une vilaine chaise de maréchal ferrant peinte à la suie, calcinée ici et là par les tisons qui avaient été projetés sur elle autrefois, au milieu des flammèches. L'oncle Émile et le Sénateur, assis dans la cour, virent passer Jean Goupille et le Do Boulé, qui allaient la jeter dans la rivière Jacques-Cartier. La rivière l'emporta dans le fleuve et le fleuve, dans la mer.

NOTICE

Lancé le 22 mars 1972, *La chaise du maréchal ferrant* est le sixième ouvrage de Jacques Ferron à paraître aux Éditions du Jour, dans la collection «Les Romanciers du Jour». Présentée comme un «conte fantastique», la première partie du roman sera publiée dans la revue *Châtelaine* le mois suivant. En 1981, Ferron reprendra l'intrigue principale dans «Le glas de la Quasimodo», long conte publié dans la revue *Liberté*, puis inclus dans son recueil posthume *La conférence inachevée*.

À travers l'atmosphère surnaturelle de ce roman, Ferron s'appuie largement sur son expérience de médecin à Rivière-Madeleine, dans le comté de Gaspé-Nord, de juillet 1946 à l'automne 1948, décrivant et nommant les lieux avec précision, employant des patronymes véritables et intégrant à son récit plusieurs anecdotes de la petite histoire gaspésienne. Ainsi, pour tracer le portrait de son héros, Jean Goupil, il s'inspire d'une légende vivante du temps de la prohibition qu'il a rencontrée: «En 1948, écrit-il à son ami et traducteur torontois Ray Ellewood, j'ai eu l'honneur de connaître Monsieur le Do Gagné, contrebandier à la retraite, qui, encore jeune et entreprenant, s'occupait d'organisation politique. Il put ainsi obtenir quelques bons contrats du Gouvernement. Il n'avait pas de préjugés. Il eut une fin digne de sa légende, sautant d'un cap en

automobile. Il avait à ses côtés deux demoiselles.»
Cette mort spectaculaire, mais véridique, fut signalée,
pendant de nombreuses années, par une croix érigée
entre Manche-d'Épée et Gros-Morne.

Pour l'établissement du texte de la présente édition, nous avons utilisé le manuscrit de l'œuvre et le
tapuscrit qui en a été fait, documents conservés à
Bibliothèque et Archives nationales du Québec, dans
le fonds Jacques-Ferron (MSS-424). Nous avons nor-
malisé l'orthographe de certains noms et rétabli la
graphie québécoisante de Ferron pour certaines
expressions populaires qu'il emploie.

REPÈRES BIOGRAPHIQUES

1921

Naissance à Louiseville, le 21 janvier. Fils aîné de Joseph-Alphonse Ferron et d'Adrienne Caron.

1933-1941

Études classiques en majeure partie au Collège Jean-de-Brébeuf, à Montréal.

1941-1945

Études de médecine à l'Université Laval, Québec.

1945-1946

Reçu médecin, il exerce dans l'armée canadienne et visite le Canada.

1946

Exerce la médecine à Rivière-Madeleine en Haute-Gaspésie.

1949

Déménagement sur la rive sud de Montréal, à Ville Jacques-Cartier (Longueuil), avec Madeleine Lavallée. Parution de son premier livre, *L'ogre*.

1951

Collaboration assidue à *L'information médicale et paramédicale* (jusqu'en 1981).

1958

Candidat défait du Parti social démocrate (futur NPD) aux élections fédérales.

1962

Prix du Gouverneur général pour *Contes du pays incertain.*

1963

Fondation, avec des amis, du Parti Rhinocéros.

1966

Candidat défait du Rassemblement pour l'indépendance nationale (RIN) ; médecin à l'hôpital psychiatrique Mont-Providence,
Rivière-des-Prairies.

1970-1971

Médecin à l'hôpital psychiatrique Saint-Jean-de-Dieu (Louis-H.
La Fontaine) ; médiateur lors de l'arrestation des felquistes Paul
Rose, Jacques Rose et Francis Simard.

1972

Prix France-Québec pour son roman *Les roses sauvages* ; prix
Duvernay de la Société Saint-Jean-Baptiste.

1973

Participation au congrès de l'Union mondiale des écrivains
médecins à Varsovie (Pologne).

1977

Prix Athanase-David pour l'ensemble de son œuvre.

1980

Membre du Regroupement des écrivains en faveur du OUI au
référendum.

1981

Membre d'honneur de l'Union des écrivains québécois.

1985

Décès de Jacques Ferron à sa résidence de Saint-Lambert.

ŒUVRES DE JACQUES FERRON

L'ogre, Cahiers de la File indienne, 1949.

La barbe de François Hertel suivi de *Le licou*, Éditions d'Orphée, (1951).

Le dodu ou *Le prix du bonheur*, Éditions d'Orphée, 1956.

Tante Élise ou *Le prix de l'amour*, Éditions d'Orphée, 1956.

Le cheval de Don Juan, Éditions d'Orphée, 1957.

Les grands soleils, Éditions d'Orphée, 1958.

Contes du pays incertain, Éditions d'Orphée, 1962.

Cotnoir, Éditions d'Orphée, 1962.

La tête du roi, Association générale des étudiants de l'Université de Montréal, 1963.

Cazou ou *Le prix de la virginité*, Éditions d'Orphée, 1963.

Contes anglais et autres, Éditions d'Orphée, 1964.

La sortie, dans *Écrits du Canada français*, n° 19, 1965.

La nuit, Éditions Parti pris, 1965.

Papa Boss, Éditions Parti pris, 1966.

Contes, édition intégrale, Contes anglais, Contes du pays incertain, Contes inédits, Éditions HMH, 1968.

La charrette, Éditions HMH, 1968.

Théâtre 1. Les grands soleils, Tante Élise, Le Don Juan chrétien, Librairie Déom, 1968.

Le cœur d'une mère, dans *Écrits du Canada français*, n° 25, 1969.

Historiettes, Éditions du Jour, 1969.

Le ciel de Québec, Éditions du Jour, 1969.

L'amélanchier, Éditions du Jour, 1970.

Le salut de l'Irlande, Éditions du Jour, 1970.

Les roses sauvages, Éditions du Jour, 1971.

La chaise du maréchal ferrant, Éditions du Jour, 1972.

Le Saint-Élias, Éditions du Jour, 1972.

Les confitures de coings et autres textes, Éditions Parti pris, 1972.

Du fond de mon arrière-cuisine, Éditions du Jour, 1973.

Théâtre 2. Le dodu ou *Le prix du bonheur, La mort de monsieur Borduas, Le permis de dramaturge, La tête du roi, L'impromptu des deux chiens*, Librairie Déom, 1975.

Escarmouches. La longue passe, 2 tomes, Leméac, 1975.

Gaspé-Mattempa, Trois-Rivières, Éditions du Bien public, 1980.

Rosaire précédé de *L'exécution de Maski*, VLB Éditeur, 1981.

Le choix de Jacques Ferron dans l'œuvre de Jacques Ferron, Québec, les Presses laurentiennes, 1985.

Les lettres aux journaux, édition préparée et commentée par Pierre Cantin, Paul Lewis et Marie Ferron, préface de Robert Millet, VLB Éditeur, 1985.

La conférence inachevée, Le pas de Gamelin et autres récits, édition préparée et commentée par Pierre Cantin, Paul Lewis et Marie Ferron, préface de Pierre Vadeboncoeur, VLB Éditeur, 1987.

Jacques Ferron et Julien Bigras, *Le désarroi. Correspondance*, VLB Éditeur, 1988.

Une amitié bien particulière. Lettres de Jacques Ferron à John Grube, Boréal, 1990.

Le contentieux de l'Acadie, édition préparée et commentée par Pierre Cantin, Paul Lewis et Marie Ferron, préface de Pierre Perrault, VLB Éditeur, 1991.

Les pièces radiophoniques. J'ai déserté Saint-Jean-de-Dieu, Les cartes de crédit, Les yeux, La ligue des bienfaiteurs de l'humanité, édition préparée et commentée par Pierre Cantin, Luc Gauvreau et Marcel Olscamp, préface de Laurent Mailhot, Hull, Éditions Vent d'ouest, 1993.

Ferron inédit. Maski, Turcot, fils d'Homère, La berline et les trois grimoires, Correspondance de Jacques Ferron et Clément Marchand, Lettres de Jacques Ferron à Ray Ellenwood, Entretiens avec Jacques Ferron, dans *L'autre Ferron*, sous la direction de Ginette Michaud, avec la collaboration de Patrick Poirier, Fides-CETUQ, « Nouvelles études québécoises », 1995.

Papiers intimes, Fragments d'un roman familial : lettres, historiettes et autres textes, édition préparée et commentée par Ginette Michaud et Patrick Poirier, Outremont, Lanctôt éditeur, « Cahiers Jacques-Ferron », nos 1-2, 1997.

Jacques Ferron et Pierre L'Hérault, *Par la porte d'en-arrière. Entretiens*, avec la collaboration de Patrick Poirier et de Marcel Olscamp, Outremont, Lanctôt éditeur, 1997.

Laisse courir ta plume... Lettres à ses sœurs 1933-1945, édition préparée par Marcel Olscamp et présentée par Lucie Joubert. Outremont, Lanctôt éditeur, «Cahiers Jacques-Ferron», n° 3, 1998.

Textes épars (1935-1959), édition préparée par Pierre Cantin, Luc Gauvreau, Marcel Olscamp et présentée par Jean-Pierre Boucher, Outremont, Lanctôt éditeur, «Cahiers Jacques-Ferron», n° 6, 2000.

Jacques Ferron et François Hébert, «*Vous blaguez sûrement...*». *Correspondance*, édition préparée et présentée par François-Simon Labelle, Outremont, Lanctôt éditeur, «Cahiers Jacques-Ferron», n° 7, 2000.

Jacques Ferron, Éminence de la Grande Corne du Parti Rhinocéros, édition présentée et préparée par Martin Jalbert, Outremont, Lanctôt éditeur, «Cahiers Jacques-Ferron», n° 10, 2003.

Jacques Ferron et Pierre Baillargeon, *Tenir boutique d'esprit. Correspondance et autres textes (1941-1965)*, édition préparée par Marcel Olscamp et présentée par Jean-Pierre Boucher, Outremont, Lanctôt éditeur, «Cahiers Jacques-Ferron», n° 11, 2004.

Jacques Ferron et André Major, «*Nous ferons nos comptes plus tard...*». *Correspondance (1962-1983)*, édition préparée par Lucie Hotte et présentée par André Major, Outremont, Lanctôt éditeur, «Cahiers Jacques Ferron», n° 12, 2004.

Victor-Lévy Beaulieu et Jacques Ferron, *Correspondances*, Notre-Dame-des-Neiges, Éditions Trois-Pistoles, 2005.

La charrette des mots, présentation de Luc Gauvreau, Notre-Dame-des-Neiges, Éditions Trois-Pistoles, collection. «Écrire», 2005.

Vautour Haché suivi de *la Petite histoire du Mont-Providence pour le profit de la révérende Renée Dansereau, sa nouvelle supérieure*, présentations de Luc Gauvreau et de Victor-Lévy Beaulieu; illustré par Carl Pelletier, Notre-Dame-des-Neiges, Éditions Trois-Pistoles, 2006.

Chroniques littéraires 1961-1981, édition préparée par Luc Gauvreau, préface de Ginette Michaud, Outremont, Lanctôt éditeur, «Cahiers Jacques-Ferron», n° 14, 2006.

TABLE

L'intérieur de ce livre a été imprimé au Québec en avril 2010
sur du papier entièrement recyclé
sur les presses de l'Imprimerie Gauvin.

FSC

Sources Mixtes
Groupe de produits issu de forêts bien
gérées et de bois ou fibres recyclés.
www.fsc.org   Cert no. SGS-COC-2624
© 1996 Forest Stewardship Council

81%